Malý
milionár

Pripravujeme
ďalšie a ďalšie...

David Walliams

Malý milionár

Ilustroval Tony Ross

slovart

Text © David Walliams 2010
Illustrations © Tony Ross 2010
Translation © Michaela Hajduková 2015
Slovak edition © Vydavateľstvo SLOVART, spol. s r. o.,
Bratislava 2015

Z anglického originálu David Walliams: Billionaire Boy,
ktorý vyšiel vo vydavateľstve HarperCollins Childrens Book,
London 2010, preložila Michaela Hajduková.
Zodpovedná redaktorka Anna Šikulová
Editorka Katarína Škorupová
Sadzba a zalomenie ITEM, spol. s r. o., Bratislava
Tlač KASICO, a. s., Bratislava

ISBN 978-80-556-1475-5

10 9 8 7

www.slovart.sk

Lare!

Ľúbim ťa tak, že sa to ani nedá vypovedať.

1

Zoznámte sa, Joe Kroomple

Už vám niekedy napadlo, čo by ste asi robili, keby ste mali milión eur?

Alebo miliardu?

Alebo ešte viac?

Keby ste boli megamiliardári?

Nech sa páči, zoznámte sa s Joeom Kroomplom.

Joe si nemusel predstavovať, aké by to bolo, keby mal veľa, preveľa, neskutočne veľa peňazí. Mal len dvanásť rokov, bol však neuveriteľne, šialene bohatý.

Mal všetko, na čo si len spomenul:

- stopalcový plazmový televízor s vysokým rozlíšením v každej miestnosti v dome, ✓
- 500 párov značkových tenisiek, ✓
- vzadu v záhrade pretekársku dráhu Formuly 1, ✓
- robotického psa z Japonska, ✓
- golfový vozík s poznávacou značkou Kroom 2, na ktorom sa vozil po pozemkoch okolo domu, ✓
- tobogan, ktorý vedie z jeho izby do krytého bazéna s dĺžkou 50 metrov, ✓

- všetky počítačové hry na svete, ✓
- 3-D IMAX kino v pivnici, ✓
- krokodíla, ✓
- osobnú masérku k dispozícii 24 hodín denne, ✓
- podzemné bowlingové ihrisko s desiatimi dráhami, ✓
- biliardový stôl, ✓
- stroj na popkorn, ✓
- skejtbordovú dráhu, ✓
- ešte jedného krokodíla, ✓
- vreckové 100 000 libier na týždeň, ✓
- húsenicovú dráhu v záhrade, ✓
- špičkové nahrávacie štúdio na povale, ✓
- futbalové tréningy s národným mužstvom, ✓
- vodnú nádrž s naozajstným žralokom. ✓

Skrátka a dobre, Joe bol neuveriteľne rozmaznané chlapča. Chodil do snobskej školy. Na výlety cestoval vlastným lietadlom. Raz kvôli nemu dokonca na celý deň zavreli Disneyland. Nechcelo sa mu totiž čakať v radoch na kolotoče.

A tu ho máme. Preháňa sa vo vlastnej Formule 1 po vlastnom okruhu.

Niektoré superbohaté deti vlastnia zmen-

šené modely áut vyrobené na mieru. Joe
k nim nepatrí. On musí mať svoju Formulu 1
o čosi väčšiu. Joe totiž nie je práve najštíhlej-
ší, chápete. Keby ste si mohli kúpiť všetku čo-
koládu na svete, ani vy by ste nevyzerali inak.
Alebo azda áno?

Iste ste si všimli, že Joe je na obrázku sám.
Pravdupovediac, ak sa človek preháňa po pre-
tekárskej dráhe úplne sám, nie je to veľká zá-
bava.

Hoci má vo vrecku aj miliardu libier. Súper je predsa len nevyhnutný. Problém je však v tom, že Joe nemal priateľov. Ani jedného jediného.

● Priatelia

Keď riadite formulu, nemali by ste počas jazdy rozbaľovať tyčinku Mars XXXXL. Ale Joe už niekoľko minút nejedol a bol dosť hladný. Vošiel do spomaľovacej zákruty, zubami roztrhol obal a odhryzol si z lahodnej nugátovo-karamelovej tyčinky v čokoláde. Na volante mal v tej chvíli však len jednu ruku, a keď auto zachytilo krajnicu, stratil kontrolu nad riadením.

Niekoľkomiliónová formula zišla z dráhy, spravila hodiny a narazila do stromu.

BUUUUUUUUUUUU-UUUUUUUUUUUUUUUM-TRRRRRRRRRRRREEEEEEEE-EEEEEEEEEEEEEEEEEEEEEEEESK-PRÁÁÁÁÁÁÁÁÁÁÁÁ-ÁÁÁÁÁÁÁSK!!!!!!!!!!!! !!!

Strom bol okej, ale auto odpísané. Joe sa vytiahol z kokpitu. Našťastie sa mu nič nestalo, len bol trocha otrasený. Tackavo sa vybral späť do domu.

„Ocko, rozbil som auto," oznámil Joe, keď vchádzal do honosnej obývačky.

Pán Kroomple bol nízky, územčistý presne ako jeho syn. Na rozdiel od neho mal však na tele oveľa viac chlpov, teda s výnimkou hlavy. Tú mal plešivú a lesklú. Joeov ocko sedel na gauči pre sto osôb z krokodílej kože, ani len nezdvihol hlavu od čerstvého vydania bulvárneho plátku.

„Netráp sa preň, Joe," upokojoval ho. „Kúpim ti nové auto."

Joe sa zosunul na gauč vedľa ocka.

„A, mimochodom, všetko najlepšie k narodeninám, Joe," pán Kroomple podal synovi obálku a pohľadom sa neprestával venovať dievčaťu dňa odfotenému v bulvárnom plátku na tretej strane.

Joe rýchlo otvoril obálku. Koľko peňazí dostane tento rok? Rýchlo odhodil pohľadnicu s textom *Všetko najlepšie k dvanástym narodeninám,* zaujímal ho len šek v obálke.

Nepodarilo sa mu skryť sklamanie.

„Len milión?!" uškrnul sa. „A to má byť všetko?"

„Čo sa deje, synak?" Pán Kroomple na chvíľu dvihol zrak od novín.

„Milión som dostal pred rokom," zamrnčal Joe. „Keď som mal jedenásť. Nemal by som na dvanáste narodky dostať viac?"

Pán Kroomple siahol do vrecka značkového saka a vytiahol šekovú knižku. Sako bolo otrasné, ale aj otrasne drahé. „Prepáč mi to, synak," ospravedlnil sa. „Dohodnime sa na dvoch miliónoch."

A teraz dôležitá informácia – Pán Kroomple nebol taký boháč odjakživa.

Nie je to až tak dávno, čo Kroomplovci viedli veľmi skromný život. Pán Kroomple od svojich šestnástich rokov pracoval v obrovskej továrni na výrobu toaletného papiera na kraji mesta. Bola to veľmi nudná práca. Na kartónové rolky navíjal toaletný papier.

Rolka za rolkou.

Deň za dňom.

Celé roky.

Priam desaťročia.

Navíjal a navíjal a čas plynul, až kým ne-
pocítil úplnú beznádej. Od rána do večera stál
pri páse so stovkami ďalších znudených
pracovníkov a dookola opakovali ubíjajúcu
činnosť. Domotali celý zvitok papiera a hneď
ich čakal ďalší. A všetky zvitky boli navlas
rovnaké. Rodina Kroomplovcov bola taká
chudobná, že pán Kroomple vyrábal synovi
narodeninové a vianočné darčeky z roliek
toaletného papiera. Nemal peniaze na naj-
novšie hračky, zato dokázal vyrobiť kartóno-
vé pretekárske autíčko či kartónovú pevnosť
s kartónovými vojačikmi. Väčšina hračiek sa
poškodila a skončila v odpadkovom koši.

Joeovi sa podarilo uchovať si iba maličkú, ža-
lostne vyzerajúcu kartónovú raketu. Sám ne-
vedel, prečo si nechal práve tú.

Jediná výhoda práce v továrni na toaletný
papier spočívala v tom, že pán Kroomple mal
kopu času na snívanie. A to, čo mu jedného
dňa napadlo, raz malo spôsobiť revolúciu
v oblasti utierania zadkov.

Čo keby som vynašiel toaletný papier, ktorý by bol z jednej strany vlhčený a z druhej suchý? dumal pán Kroomple, keď v ten deň navíjal asi tisícu rolku.

Nápad dôkladne tajil a v maličkom záchode ich štátneho bytu lopotil celé hodiny, aby obojstranný vlhko-suchý toaleťák stál za to.

Napokon sa mu podarilo vynájsť zadkočist. Vynález sa hneď stal hitom. Pán Kroomple predal denne miliardu kotúčov po celom svete. Na každom kotúči zarobil desať pencí. Ako ukazuje jednoduchý výpočet, nahonobil si peknú kôpku peňazí.

10 pencí X 1 000 000 000 kotúčov X 365 dní v roku = hromada penazí

Keď sa zadkočist začal predávať, Joe mal len

osem rokov a život sa mu v mihu obrátil naruby. Najskôr sa rozviedli rodičia. Vyšlo najavo, že Joeova mama Karolína mala vášnivý vzťah s Joeovým skautským vedúcim Alanom. Rozvodom vysúdila 10 miliárd libier. Alan predal kanoe a kúpil si obrovskú jachtu. Posledná správa o tých dvoch bola, že sa na jachte plavili po pobreží Dubaja a na raňajky si každý deň dávali kukuričné lupienky s orieškami, sypali si ich do archívneho šampanského. Zdalo sa, že ocko sa cez rozvod preniesol dosť rýchlo, a začal randiť s dievčatami z tretích strán bulvárnych plátkov.

Čoskoro sa aj so synom presťahoval z maličkého štátneho bytu do obrovského rozľahlého domu. Pán Kroomple ho nazval Zadkočistia pevnosť.

Dom bol taký velikánsky, že ho bolo vidieť

až z vesmíru. Päť minút trvala len jazda po príjazdovej ceste. Ďalšiu kilometrovú cestičku vysypanú štrkom lemovali stovky mladých stromčekov. V dome bolo sedem kuchýň, dvanásť obývačiek, štyridsaťsedem spální a osemdesiatdeväť kúpeľní. Dokonca aj každá kúpeľňa mala svoju vlastnú kúpeľňu. A niektoré z týchto ďalších vstavaných kúpeľní mali ďalšie svoje vlastné kúpeľne.

Aj keď Joe žil v dome už niekoľko rokov, vyznal sa asi v jednej jeho štvrtine. Na rozľahlých pozemkoch sa nachádzali tenisové kurty, jazero na člnkovanie, pristávacia plocha pre vrtuľník a stometrový lyžiarsky svah s umelým snehom. Všetky vodovodné kohútiky, kľučky na dverách a záchodové dosky boli zo zlata. Koberce boli z norkovej kožušiny, Joe s ockom pili pomarančovú šťavu z drahocenných stredovekých čiaš a istý čas mali komorníka menom Otis – bol to zároveň orangutan, no museli ho vyhodiť.

„Ocko? Mohol by som dostať aj normálny darček?" Joe si vložil šek do vrecka na nohaviciach. „Chápeš, peňazí mám už dosť."

„Povedz mi, po čom túžiš, synak, a niektorý z mojich asistentov to vybaví," navrhol pán Kroomple. „Slnečné okuliare celé z pravého zlata? Mám také. Nevidieť cez ne nič, ale boli príšerne drahé."

Joe si zívol.

„Alebo pekný motorový čln?" vyzvedal pán Kroomple.

Joe prekrútil oči. „Už mám dva. Čo si zabudol?"

„Prepáč, synak. A čo by si povedal na nákup na Amazone v hodnote štvrť milióna?"

„Nuda! Nuda! Samá nuda!" Joe od zlosti až dupal. Bol to skrátka chalan s problémami smotánky.

Pán Kroomple mu venoval zronený pohľad. Nebol si úplne istý, či na svete existuje ešte niečo, čo by jedinému synovi mohol kúpiť. „Tak čo by si rád, synak?"

Joeovi zrazu čosi napadlo. Predstavil si, ako sa preháňa sám po svojom okruhu F1 a snaží sa prekonať vlastné rekordy. „Je niečo, čo by som naozaj chcel," zaváhal.

„Len smelo, synak," povzbudil ho pán Kroomple.

„Priateľa."

2

Utririť

„Utririť,“ povedal Joe.

„Utririť?“ vyprskol pán Kroomple. „A ako ti ešte v škole hovoria, synak?“

„Hajzlák.“

Pán Kroomple neveriacky krútil hlavou. Syna zapísal do najdrahšej školy v Anglicku, do Chlapčenskej školy svätého Kutberta. Polročné školné bolo až 200-tisíc libier a chlapci chodili do školy v golieroch a pančuchách z alžbetínskeho obdobia. Na obrázku vidíte Joea v školskej uniforme. Vyzerá trápne, však?

Pánovi Kroomplovi ani len vo sne nenapadlo, že by jeho syna mohli šikanovať. Veď obeťou šikany predsa bývajú len chudáci. Realita však bola taká, že Joea si spolužiaci v novej škole od prvej chvíle vychutnávali. Deti boháčov ho priam neznášali, lebo jeho

otec zbohatol na toaletnom papieri. Hovo-
rievali, že je to „neuveriteľne vulgárne".

„Riťomilionár, dedič utririťového impéria,
pán Spláchnutý," pokračoval Joe. „A to hovo-
rím len o prezývkach, čo mi dali učitelia."

Väčšina detí v Joeovej škole boli šľachtici
alebo aspoň deti vojvodov či grófov. Bohat-
stvo ich rodín tvorili pozemky. Boli to penia-
ze „s tradíciou". Joeovi rýchlo docvaklo, že len
tento druh bohatstva sa ráta. Peniaze „bez
tradície" zarobené na toaletnom papieri ni-
koho nezaujímali.

Chlapci zo Školy svätého Kutberta sa vo-
lali napríklad Nathaniel Septimus Ernest
Bertram Lysander Tybalt Zachariáš Edmund
Alexander Hampry Persy Quentin Tristan
Augustus Bartolomej Tarkvin Imogen Sebas-
tián Teodor Clerens Smythe.

A to bol len jeden chlapec.

Aj predmety v rozvrhu mali neuveriteľne snobské:

Pondelok

Latinčina

Nosenie slameného klobúka

Informácie o kráľovskej rodine

Štúdium etikety

Parkúr

Spoločenské tance

Diskusný krúžok (náplň predmetu: diskusie na témy v duchu „V našom rode odnepamäti panuje presvedčenie, že zapnutý spodný gombík na veste je opovrhnutiahodným prejavom nevkusu").

Umenie konzumácie čajového pečiva

Viazanie viazanky

Člnkovanie na jazere

Jazdecké pólo (nehrá sa v bazéne)

Utorok

Starogréčtina

Kroket

Lov na bažanta

Nezdvorilé správanie k služobníctvu

Hra na mandolíne

História výroby tvídu

Horenosovstvo

Prekračovanie ležiacich bezdomovcov pri
východe z budovy opery

Ako sa nestratiť v bludisku

Streda

Lov na líšku

Aranžovanie

Konverzácie o počasí

História kriketu

História lakovej topánky

Hra Kvarteto – vidiecke sídla

Čítanie časopisu *Harper's Bazaar*

Hodina hodnotenia baletných predstavení

Leštenie klobúkov

Šermovanie

Štvrtok

Hodina hodnotenia starožitného nábytku

Oprava defektu na automobile značky Range Rover

Konverzácia na tému „najbohatší otec"

Súťaž o najbližšieho priateľa princa Harryho

Distingvovaná konverzácia

Veslársky klub

Diskusný krúžok (témy v štýle „V našej rodine je nemysliteľná konzumácia zapekačiek.")

Šach

Heraldika – poznávanie rodových erbov

Hodina hlasného rozprávania v reštaurácii

Piatok

Recitácia stredovekej anglickej poézie

História výroby menčestru

Tvarovanie a strih okrasných drevín

Hodina hodnotenia klasickej sochy

Vyhľadávanie žiakov

na fotografiách v bul-

várnych plátkoch

Lov na kačku

Biliard

Popoludnie hodno-

tenia vážnej hudby

Diskusný krúžok spojený s večerou na vo-

pred určenú tému (napr.: zápach príslušníkov

robotníckej triedy)

Joeovi však škola nebola odporná iba kvôli

čudným predmetom. Hlavný dôvod bol ten, že sa naňho všetci žiaci dívali zvrchu. Chalan, ktorého otec zbohatol na obyčajnom toaleťáku, bol podľa nich zúfalo nudný.

„Oci, chcem chodiť do inej školy," prosíkal Joe.

„V pohode. Môžem si dovoliť zaplatiť ti najsnobskejšie školy na svete. Počul som, že vo Švajčiarsku majú nejakú fajn. Dopoludnia sa v nej lyžuje a potom..."

„Nie," oponoval Joe. „Čo keby som chodil do štátnej školy?"

„Ako, prosím?" zarazil sa pán Kroomple.

„Možno by som si tam našiel nejakého kamoša," vysvetľoval Joe. Keď ho šofér vozieval do jeho snobskej školy, prechádzali okolo brány štátnej, kde sa vždy hemžil kŕdeľ detí. Všetky sa super zabávali – debatovali, hrali, vymieňali si kartičky. Joeovi to pripadalo nádherne *normálne*.

„No, hej, ale štátna škola?" pán Kroomple nemohol uveriť vlastným ušiam. „Si si istý?"

„To teda som," vzdorovito odpovedal Joe.

„Keby si chcel, dal by som ti postaviť školu vzadu v záhrade," navrhol pán Kroomple.

„Nie, chcem chodiť do obyčajnej školy s obyčajnými deťmi. Chcem si nájsť kamoša, oci. Vo Svätom Kutbertovi sa so mnou absolútne nik nebaví."

„Ale ty nemôžeš chodiť do obyčajnej školy, synak. Si milionár. Deti tam ťa budú buď šikanovať, alebo sa s tebou budú chcieť kamarátiť len pre peniaze. Bude ťa to trápiť."

„Tak nikomu nepoviem, kto som. Budem iba obyčajný Joe. A možno, ozaj len možno, sa mi podarí nájsť si kamoša, alebo aj dvoch."

Pán Kroomple chvíľu premýšľal, potom povolil. „Ak to naozaj tak veľmi chceš, Joe, dobre teda, budeš chodiť do obyčajnej školy."

Joe bol taký nadšený, že dozadkoskákal[1] po gauči bližšie k ockovi a objal ho.

„Nepokrč mi oblek, chlapče," upozornil ho ocko.

„Prepáč, oci," ospravedlnil sa Joe a odzadkoskákal trocha ďalej od ocka. Odkašľal si. „Ehm, mám ťa rád, oci."

„Nápodobne, synak," pritakal ocko a postavil sa. „Tak ešte raz všetko najlepšie."

„Nezašli by sme dnes niekam spolu, oci?" navrhol Joe a pokúšal sa zakryť sklamanie. Keď bol mladší, ocko ho vždy brával v deň

---

[1]Zadkoskákanie je zložené z dvoch slov – zadok a skákanie. Spočíva v pohybovaní sa počas sedu. Človek sa vlastne presúva po zadku, znamená to, že nemusí vstávať. Tento druh pohybu mimoriadne obľubujú najmä ľudia s nadváhou.

narodenín na hamburger. Teda vlastne –
hamburger si dovoliť nemohli, zvyčajne si objednali hranolčeky a jedli k nim obložené
chlebíčky, ktoré ocko do reštaurácie prepašoval pod klobúkom.

„Prepáč, synak, nemôžem. Mám dnes rande
s jednou nádhernou ženou,“ ospravedlňoval sa
ocko a ukazoval pri tom na bulvárny plátok.

Joe pozrel na noviny. Bola v nich fotka ženy,
ktorá zrejme niekde stratila šaty. Vlasy mala
odfarbené na platinovo a na tvári toľko mejkapu, že sa ani nedalo odhadnúť, či je pekná, alebo nie. Pod fotografiou bol text: Zafíria (19)
z Bradfordu. Rada nakupuje, nerada rozmýšľa.

„Nemyslíš, oci, že je Zafíria pre teba troška primladá?“ namietol Joe.

„Veď je medzi nami len dvadsaťsedemročný rozdiel,“ zareagoval pán Kroomple.

Joea to nepresvedčilo. „A kam s tou Zafíriou idete?"

„Do nočného klubu."

„Do nočného klubu?" Joe mal pocit, že zle rozumel.

„Jasné," odvetil obranným tónom pán Kroomple. „Veď na nočné kluby som ešte dosť mladý." Otvoril škatuľku, vytiahol z nej čosi, čo vyzeralo ako škrečok, ktorého prešiel parný valec, a položil si to na hlavu.

„Ocko, čo to, prosím ťa, máš?"

„Čo máš na mysli?" nevinným tónom sa opýtal pán Kroomple a upravoval si dômyselnú pokrývku na plešine.

„No to, na hlave."

„Aha, to je príčesok, synak. Boli len po desaťtisíc. Vzal som si blonďavý, hnedý a ryšavý. A na špeciálne príležitosti aj jeden afro. Vyzerám v ňom o dvadsať rokov mladší, však?"

Joe klamal nerád. Príčesok ockovi roky neubral. Naopak, vyzeral v ňom ako žonglér, ktorý sa snaží udržať na hlave mŕtveho hlodavca. Preto Joe radšej vyjadril svoj názor neutrálnym „hmm".

„Tak teda dobre, prajem ti príjemný večer," dodal Joe a natiahol sa po diaľkový ovládač. Znova dnes zostane sám s telkou so stopalcovou obrazovkou.

„V chladničke máš kaviár, synak." Pán Kroomple už kráčal k dverám.

„Čo je to kaviár?"

„To sú rybie vajíčka, synak."

„Fúúj," Joe nemal v obľube ani slepačie vajcia. A vajíčka, čo zniesla ryba? To znelo ešte odpornejšie.

„Hej, aj ja som si z nich dal na raňajky na hrianku a boli hnusné. Ale kaviár je veľmi drahý, preto by sme ho mali začať jesť."

„Nemohli by sme mať pečené klobásky so zemiakovým pyré alebo rybie prsty s hranolčekmi? Alebo pastiersky koláč, alebo niečo iné normálne?"

„Pastiersky koláč som mával celkom rád, synak," pán Kroomple preglgol, akoby si spomenul na chuť pastierskeho koláča.

„Tak čo?"

Pán Kroomple netrpezlivo zavrtel hlavou. „Nie, nie, synak, sme bohatí. Musíme jesť snobské veci ako správni boháči. Tak čááu!" Dvere buchli a o pár sekúnd už Joe počul, ako ich limetkovozelené Lamborghini s ohlušujúcim rachotom vyrazilo do nočnej tmy.

Bol sklamaný, že znova zostal sám, ale keď zapol telku, na tvári sa mu zjavil letmý úsmev. Pôjde do normálnej školy a bude z neho zasa obyčajný chalan.

A možno, ale naozaj len možno, si nájde aj nejakého kamoša.

Ale ako dlho sa mu podarí utajiť, že je rozprávkovo bohatý? To bol problém.

3

Kto je najtučnejší v škole?

Nakoniec nadišiel veľký deň. Joe si zložil z ruky hodinky vykladané diamantmi, zlaté pero uložil do zásuvky. Poobzeral si značkovú čiernu školskú tašku z hadej kože, ktorú mu ocko kúpil ako darček v prvý deň v novej škole – skončila v skrini. Snobsky vyzerala ešte aj taška, v ktorej bola školská taška zabalená. V kuchyni našiel igelitku a učebnice strčil do nej. Nebude vyčnievať z radu!

Miestnu školu často pozoroval zo zadného sedadla Rolls-Roycea, ktorým ho šofér vozieval zo Školy sv. Kutberta. Deti vybiehali zo školy. Videl rýchlo sa pohybujúcu masu nadskakujúcich tašiek a nagélovaných hláv, z ktorej k nemu doliehali samé nadávky. Dnes do školskej brány vkročí prvý raz. Nechcel sa dať doviezť Rolls-Royceom – deťom by hneď docvaklo, že je boháč. Požiadal vodiča, aby ho vysadil na neďalekej zastávke autobusu. Mestskou dopravou necestoval už poriadne dlho. Nemohol sa dočkať, kedy príde autobus.

„Nemám ti vydať!" ozval sa vodič autobusu.

Joe si neuvedomil, že mu strká päťdesiatlibrovku a má platiť len dve libry. Vystúpil. Vzdychol si a rozhodol sa tie dva kilometre, čo mu chýbali do školy, zdolať peši. Kráčal a tučné stehná sa mu šúchali jedno o druhé.

Nakoniec došiel k školskej bráne. Najskôr chvíľu nervózne postával vonku. Za ten dlhý čas sa už s prepychom a jeho vymoženosťami úplne zžil. Ako sa zaradí medzi tieto deti? Zhlboka sa nadýchol a vpochodoval na školský dvor.

Pri vstupnej bráne si všimol chalana, ktorý bol tiež sám. Joe naňho pozrel. Bol tučný ako on, na hlave štica kučeravých vlasov. Keď si všimol Joeov pohľad, usmial sa. Už boli v budove a chalan podišiel k nemu.

„Som Bob," predstavil sa.

„Čau, Bob," odzdravil Joe. V tej chvíli zazvonilo a oni kráčali po chodbe na prvú hodinu. „Ja som Joe," dodal ešte. Bolo to zvláštne chodiť do školy, kde ho nik nepoznal. Kde nebol Riťomilionár, dedič utririťového impéria, či Pán Spláchnutý.

„Som veľmi rád, že si u nás, Joe. V triede, chápeš."

„A prečo?" vyzvedal Joe. Bol nadšený. Možno si už našiel prvého kamoša!

„Lebo už nebudem najtučnejší v celej škole," vyhlásil Bob sebavedome, akoby to bola úplne samozrejmá informácia.

Joe sa zamračil, potom na chvíľu zastal a obzeral si Boba. Mal pocit, že sú rovnako tuční.

„A koľko vážiš?" opýtal sa podráždene.

„A ty?" kontroval Bob.

„Ja som sa pýtal prvý."

„Bob na chvíľu zaváhal. „Asi päťdesiat kíl."

„Ja okolo štyridsaťpäť," zaklamal Joe.

„Ty v žiadnom prípade nevážiš štyridsaťpäť!" nasrdil sa Bob. „Ja mám sedemesiatpäť kíl a ty si oveľa tučnejší!"

„Veď pred chvíľou si tvrdil, že máš päťdesiat."

„Mal som," odvetil Bob, „keď som bol malý."

Popoludní mali cezpoľný beh. Cezpoľný beh je horor v hociktorý deň v škole, nieto ešte v úplne prvý. Sú to každoročné muky – zjavne ich vymysleli iba na ponižovanie športovo nie veľmi zdatných detí. Niet pochýb, že Joe s Bobom presne do tejto kategórie bez najmenšej pochyby patria.

„Kde máš úbor, Bob?" zreval pán Sinka, sadistický učiteľ telesnej výchovy, keď videl Boba kráčať na ihrisko. Mal na sebe slipy a tielko a ostatné deti ho vítali hurónskym smiechom.

„N-n-n-niekto mi ho a-a-asi s-s-skryl, pa--pán učiteľ," triasol sa od strachu Bob.

„Dôveryhodný príbeh," uškľabil sa učiteľ. Ako každý správny telocvikár mal na sebe teplákovú súpravu a vyzeral, akoby sa v nej už narodil.

„Mu-musím aj t-t-tak behať, pa-pán uči-
teľ?" spýtal sa Bob s nádejou v hlase.

„Samozrejme, chlapče. Len tak ľahko ti to
neprejde. Tak, a teraz všetci na značky, pripra-
viť sa, pozor... ŠTART!"

Joe s Bobom najskôr šprintovali ako ostat-
né deti, ale zhruba po troch sekundách už bo-

li s dychom na konci a vládali len kráčať. Čoskoro sa im ostatní stratili v diaľke a dvaja tučniaci zostali sami.

„Vždy skončím ako posledný," Bob si odbalil čokoládovú tyčinku a odhryzol si veľký kus. „Všetky decká sa mi smejú. Osprchujú sa, prezlečú a čakajú v cieli. Pokojne by mohli ísť domov, ale ony čakajú, len aby si na mne zgustli."

Joe sa zamračil. Nezdalo sa mu to vtipné. Rozhodol sa, že on posledný nebude, a trocha pridal. Snažil sa byť aspoň pol metra pred Bobom.

Bob naňho zlostne zagánil a tiež pridal, čím sa dostal na rýchlosť zhruba pol kilometra za hodinu. Z odhodlaného výrazu Bobovej tváre sa Joe dovtípil, že tento rok má konečne reálnu šancu skončiť predposledný.

Joe tiež trocha zrýchlil. Takmer klusali. Začal sa boj. Méta: predposledné miesto. Joeovi sa vôbec nepáčila predstava, že by ho mal prvý deň v novej škole poraziť v cezpoľnom behu tučniak v tielku a slipoch.

Trvalo celú večnosť, kým konečne zbadali cieľovú pásku. Obaja chlapci boli po tejto súťaži v kolísavej chôdzi na konci s dychom.

Joeovi sa zrazu prihodilo čosi mrzuté. Bolestivo ho pichlo v boku.

„Aaaaau!" skríkol.

„Čo sa deje?" zaujímalo Boba, ktorý práve viedol o pár centimetrov.

„Pichá ma v boku, musím už skončiť. Aaaau..."

„Robíš sa. Presne toto na mňa minulý rok skúšalo jedno stokilové dievča a potom ma predbehlo o zlomok sekundy."

„Aaaau! Ja neklamem," Joe si pevne držal bok.

„Na to ti neskočím, Joe. Tento rok budeš posledný a všetky decká z ročníka sa budú smiať tebe," triumfálne oznámil Bob a čoraz viac sa vzďaľoval.

Výsmech v prvý deň v škole – toto Joe naozaj nečakal. Dosť posmechu si už predsa užil v Škole svätého Kutberta. Pichanie v boku sa však každým krokom stupňovalo. Akoby mu pod rebrami vypaľovali dieru. „A keby som ti dal päť libier, pustil by si ma pred seba?" navrhol.

„V žiadnom prípade," ledva dýchal Bob.

„Desať?"

„Nie."

„Dvacku?"

„Ešte pridaj."

„Čo päťdesiatka?"

Bob zastal a zízal na Joea.

„Päťdesiat libier," sníval, „to je poriadna kopa čokolády."

„To teda hej," súhlasil Joe, „celé tony."

„Platí. Ale prachy navaľ hneď."

Joe z kraťasov vytiahol päťdesiatku.

„Čo je to?" opýtal sa Bob.

„Päťdesiat libier."

„Takúto bankovku som jakživ nevidel. Odkiaľ to máš?"

„Ehm, noo, minulý týždeň som mal narodeniny, chápeš," zakoktal sa trochu Joe. „Dal mi ju môj otec."

Tučný chalan si ju chvíľu obzeral, díval sa na ňu proti svetlu, akoby to bol nejaký cenný predmet. „Páni moji, tvoj oco musí byť v riadnom balíku," skonštatoval.

Keby tak Bob vedel pravdu, asi by mu z toho preplo. Keby vedel, že pán Kroomple dáva svojmu synovi darčeky v hodnote dvoch miliónov libier... Joe radšej ani nemukol.

„Ale nie, to nie," zareagoval.

„Tak bež už," povzbudil ho Bob, „budem teda posledný. Za päťdesiat libier dobehnem pokojne až zajtra, ak by si potreboval."

„Stačí, ak budeš len pár krokov za mnou. Tak to bude vyzerať dôveryhodne."

Joe sa pustil dopredu, stále si držal boľavý bok.

Už začínal vidieť stovky krutých smejúcich sa tváričiek. Nový žiak prebehol cieľom len za jemného uštipačného smiechu. Za ním sa vliekol Bob, v ruke stískal päťdesiat libier. Lebo na slipoch nebývajú vrecká. Keď dobehol do cieľa, deti spustili:

„TUČI-BOMB!!! TUČI-BOMB!!! TUČI-BOMB! TUČI-BOMB! TUČI- -BOMB! TUČI-BOMB! TUČI-BOMB! TUČI-BOMB! TUČI-BOMB!"

Deti skandovali stále hlasnejšie.

„TUČI-BOMB! TUČI-BOMB! TUČI- -BOMB! TUČI-BOMB! TUČI-BOMB! TUČI- -BOMB! TUČI-BOMB! TUČI-BOMB! TUČI- -BOMB! TUČI-BOMB! TUČI-BOMB! TUČI- -BOMB! TUČI-BOMB! TUČI-BOMB! TUČI- -BOMB! TUČI-BOMB!"

Nakoniec pridali aj potlesk:

„TUČI-BOMB!!! TUČI-BOMB!
TUČI-BOMB! TUČI-BOMB! TUČI-
-BOMB! TUČI-BOMB! TUČI-BOMB!
TUČI-BOMB! TUČI-BOMB! TUČI-
-BOMB! TUČI-BOMB! TUČI-BOMB!
TUČI-BOMB! TUČI-BOMB! TUČI-
-BOMB! TUČI-BOMB! TUČI-BOMB!
TUČI-BOMB! TUČI-BOMB! TUČI-
-BOMB! TUČI-BOMB! TUČI-BOMB!
TUČI-BOMB! TUČI-BOMB! TUČI-
-BOMB! TUČI-BOMB! TUČI-BOMB!
TUČI-BOMB! TUČI-BOMB! TUČI-
-BOMB! TUČI-BOMB! TUČI-BOMB!
TUČI-BOMB! TUČI-BOMB! TUČI-
-BOMB! TUČI-BOMB! TUČI-BOMB!
TUČI-BOMB! TUČI-BOMB!"

Bob sa odhodlane hodil cez cieľovú čiaru.

Malý milionár

„HA! HA! HA! HA! HA! HA! HA! HA! HA! HA! HA! HA! HA! HA! HA! HA! HA! HA! HA! HA! HA! HA! HA! HA! HA! HA! HA! HA! HA! HA! HA! HA! HA! HA! HA! HA! HA! HA! HA! HA! HA! HA! HA! HA! HA! HA! HA! HA! HA! HA! HA! HA! HA! HA!

HA! HA! HA! HA! HA!
HA! HA! HA! HA! HA!
HA! HA! HA! HA! HA! HA! HA!
HA! HA! HA! HA! HA! HA! HA!
HA! HA! HA! HA! HA! HA! HA!
HA! HA! HA!"

Deti sa až váľali od smiechu a ukazovali prstom na Boba. Ten stál v predklone a lapal dych. Joe sa otočil a zrazu sa v ňom ozvalo svedomie. Deti sa rozpŕchli, on podišiel k Bobovi a pomohol mu, aby sa vzpriamil.

„Vďaka,“ poďakoval sa mu.

„Nemáš za čo,“ Bob na to. „Ak mám byť úprimný, urobil by som to aj tak. Keby si bol prvý deň v novej škole posledný, už by si sa toho nezbavil. Ale budúci rok si poraď sám. Už nebudem posledný, ani keby si mi ponúkol milión.“

Joe si spomenul na dvojmiliónový šek, čo dostal na narodeniny. „A čo dva?“ zavtipkoval.

„Sedí vec!“ zasmial sa Bob. „Predstav si, keby si naozaj mal toľko peňazí. To by ale bolo! To by si si podľa mňa mohol kúpiť všetko, čo by si len chcel.“

Joe sa nasilu usmial. „Hej,“ prikývol, „možno...“

4

Toaleťák

„A úbor si si zabudol naschvál?" vyzvedal Joe.

Kým Joe s Bobom dobehli do cieľa cezpoľného behu, teda v ich prípade vlastne cezpoľnej prechádzky, učiteľ Sinka stihol pozamykať šatne. Bezradne stáli pred sivou betónovou budovou. Bob sa v trenírkach triasol od zimy. Pokúsili sa nájsť tajomníčku, ale v škole už nebolo ani živej duše. Iba údržbár. A ten zrejme po anglicky nehovoril. Alebo, lepšie povedané, vôbec nehovoril.

„Nie," odvetil Bob a Joeovo obvinenie sa

ho trocha dotklo. „Možno nie som najlepší bežec, ale zbabelec, tak to teda ani náhodou."

Vliekli sa cez školské ihrisko – Joe v tričku a kraťasoch, Bob v tielku a trenírkach. Vyzerali ako predsedovia včelárskeho spolku, ktorým uleteli včely.

„Kto ti ho teda vzal?" opýtal sa Joe.

„Neviem. Možno Hulvathovci. Sú to najväčší tyrani v škole."

„Hulvathovci?"

„Hej, dvojčatá."

„Aha," pochopil Joe, „ešte ich nepoznám."

„Čoskoro budeš mať tú česť," smutne poznamenal Bob. „Inak, fakt sa cítim trápne, že si beriem prachy, čo si dostal na narodky."

„To naozaj nemusíš," upokojoval ho Joe, „to je v pohode."

„Ale päťdesiat libier, to je strašne veľa peňazí," oponoval Bob.

Pre Kroomplovcov to boli skôr drobné.

Opíšem vám pár spôsobov, ako by ich Joe s ockom minuli:

- Podpálili by nimi drevené uhlie v grile.
- Položili by si kôpku päťdesiatlibrových bankoviek k telefónu na poznámky.
- Vystlali by bankovkami škrečkovi klietku a po týždni, keď by už smrdeli škrečím močom, by ich pri čistení klietky vyhodili do koša.

Malý milionár

- Spomínaného škrečka by po kúpeli vyutierali do ďalšej bankovky.

- Bankovku by použili ako filter na kávu.

- Urobili by si z nich papierové čiapky na oslavu Štedrého dňa.

- Fúkali by si do nich nos.

- Zabalili by do nich vyžutú žuvačku, dokrkvali a dali do ruky komorníkovi, ten zasa lokajovi, lokaj slúžke a tá by bankovku aj so žuvačkou vyhodila do koša.

- Urobili by si z nich papierové lietadielka a triafali by sa nimi.

- Vytapetovali by si nimi záchod na prízemí domu.

„Ešte som sa ťa nespýtal," zaujímalo Boba, „čo robí tvoj ocko."

Joea sa na chvíľu zmocnila panika. „Noo, ehm, hmm, on... vyrába toaleťák," vyšla z neho polopravda.

„*Toaleťák?*" čudoval sa Bob a nedokázal potlačiť smiech.

„Hej," dotknuto pritakal Joe. „Toaleťák."

Bob sa prestal smiať. „To mu zrejme bohviekoľko nevynáša."

Joe sa zarazil. „Noo... ani nie."

„Tvoj ocko si určite musel celé týždne odtŕhať od úst, aby nasporil päťdesiat libier. Tu máš." Bob opatrne podával trocha dokrkvanú päťdesiatku Joeovi.

„Nie, nechaj si ju," zdráhal sa Joe.

Bob mu ju vtisol do ruky. „Je to tvoj narodeninový darček. Nechaj si ich ty."

Joe sa neisto usmial a peniaze ukryl v pästi. „Vďaka, Bob. A čo robí tvoj ocko?"

„Môj ocko minulý rok zomrel."

Chvíľu kráčali bez slova. Joe počul len tlkot svojho srdca. Vôbec nevedel, ako zareagovať. Cítil sa kvôli novému kamošovi príšerne. Potom si spomenul, že keď niekomu zomrie blízky človek, ostatní mu hovoria: „Je mi to ľúto."

„Je mi to ľúto," zareagoval.

„Veď to nie je tvoja chyba," odvetil Bob.

„Myslel som tým, že ma mrzí, že zomrel."

„To aj mňa."

„A ako vlastne zomrel?"

„Na rakovinu. Bolo to hrozné. Cítil sa čoraz horšie a horšie a jedného dňa po mňa prišli do školy a odviedli ma do nemocnice. Celé hodiny sme sedeli pri jeho posteli, ťažko dýchal, takmer chrčal, a potom zrazu chrčanie prestalo. Vybehol som na chodbu po sestričku. Prišla a povedala, že zomrel. Zostali sme s mamou sami."

„A kde pracuje tvoja mama?"

„V Tescu. Pri pokladnici. Tam sa aj stretli s ockom. Chodil na nákup vždy v sobotu ráno. Zo žartu hovorieval, že si išiel len po liter mlieka a doviedol si ženu."

„Takže mal zmysel pre humor," poznamenal Joe.

„Mal," usmial sa Bob. „Mama má ešte jednu prácu. Upratuje v starobinci. Ledva prežívame z mesiaca na mesiac."

„Och, a to nebýva unavená?" opýtal sa Joe.

„Býva," odpovedal Bob, „preto jej pomáham – upratujem a tak..."

Joeovi prišlo Boba ľúto. Od ôsmich rokov

doma ani len krížom slamu nepreložil – vždy mal poruke komorníka, slúžku, záhradníka alebo šoféra. Vytiahol bankovku z vrecka. Bob potreboval peniaze viac ako on. „Vezmi si tú päťdesiatku, Bob. Prosím."

„Nie, nechcem. Je mi to nepríjemné."

„Tak mi dovoľ, aby som ti kúpil aspoň čokoládu."

„Platí," súhlasil Bob. „Ide sa k Rajovi."

5

Veľkonočné vajíčka
po dátume spotreby

CɪɴK!

Nie, nie, čitatelia moji. To nie je váš zvon-
ček. Nemusíte vstávať. To zazvonil zvonec
nad dverami Rajovho obchodu, keď doň vstú-
pili Bob s Joeom.

„Ááá, Bob! Môj obľúbený zákazník!" pote-
šil sa Raj. „Vitaj, vitaj!"

Raj bol miestny trafikant. Zbožňovali ho
všetky deti v mestečku. Bol niečo ako vtipný
strýčko, po akom túži každé dieťa. Dokonca
ešte lepší. Predával totiž sladkosti.

„Dobrý deň, Raj!" pozdravil sa Bob. „Toto je Joe."

„Ahoj, Joe," vykríkol Raj. „Dvaja kyprí chlapci naraz v mojom obchode! Dnes ma má pánbožko naozaj rád! A prečo ste polonahí?"

„Ideme rovno z cezpoľného behu, Raj," vysvetlil Bob.

„Skvelé! A ako ste dopadli?"

„Prvý a druhý..." začal Bob.

„Vynikajúce!" potešil sa Raj.

„... od konca," dokončil vetu Bob.

„To už nie je také skvelé. Ale viem si predstaviť, akí hladní musíte byť po takom športovom výkone. Čo vám ponúknem?"

„Dali by sme si čokoládu," ozval sa Joe.

„Tak to ste prišli správne. Mám najlepší výber čokoládok v celej nákupnej pasáži!" víťazoslávne im oznámil Raj. Vzhľadom na to, že v pasáži bola okrem jeho obchodu len práčovňa a kvetinárstvo, ktoré už istý čas nefungovalo, bolo toto vyhlásenie dosť pochybné, ale chalani sa nad to povzniesli.

Joe veľmi dobre vedel, že chutná môže byť aj lacná čokoláda. S ockom si po celých rokoch jedenia belgických praliniek a švajčiarskej čokolády uvedomili, že sa ani zďaleka nevyrovnajú ľadovým gaštanom. Alebo lentilkám.

Alebo z pohľadu naozajstných znalcov – Študentskej pečati.

„Keď si vyberiete, chlapci, povedzte,“ vyzval ich trafikant. Tovar v Rajovom obchode bol poukladaný len tak, hala-bala. Erotický časopis vedľa bieliacej korektorskej pásky. A keby ste náhodou hľadali gumové medvedíky, ľahko sa mohlo stať, že by boli ukryté pod novinami spred niekoľkých rokov. A poznámkové bloky? Naozaj musia byť v mrazničke?

Aj napriek všetkému miestni obyvatelia obchodík často navštevovali. Mali totiž radi Raja tak ako on svojich zákazníkov, najmä Boba.

Bob bol jedným z jeho úplne najobľúbenejších zákazníkov.

„Len sa poobzeráme, zatiaľ vďaka," odpovedal mu Bob. Obzeral si police plné sladkostí, hľadal niečo výnimočné. Dnes mal peňazí dosť. Veď Joe má vo vrecku päťdesiat libier. Mohli by si dokonca dovoliť aj jedno z Rajových veľkonočných vajíčok po dátume spotreby.

„Dnes nám došli čerstvé bublinkové čokolády, páni!" nabádal ich Raj.

„Len sa pozeráme, ďakujeme," zdvorilo mu odvetil Bob.

„A práve je sezóna veľkonočných vajíčok," pokračoval trafikant.

„Ďakujeme," zdvorilo sa usmial Joe.

„Len smelo, páni. Som tu len pre vás," vynukoval Raj. „Ak máte otázky, bez okolkov sa pýtajte."

„Opýtame sa, opýtame," povedal Joe.

Chvíľu bolo ticho.

„Chcem vás upozorniť, páni, že Kofily sa minuli," pokračoval Raj. „Mám určité problémy s dodávateľom, ale zajtra by už mali byť na sklade."

„Ďakujeme za informáciu," poďakoval Bob. Vymenili si s Joeom pohľady. Obaja by boli radšej, keby ich už trafikant nechal na pokoji.

Malý milionár

„Odporučil by som vám čokoládku Milenu. Pred chvíľou som si jednu dal a táto várka je jedinečná."

Joe zdvorilo prikývol.

„Nechám vás už, vyberte si sami. Ale ako hovorím, som tu len pre vás."

„Mohol by som vziať túto?" vzal Bob do ruky veľkú mliečnu čokoládu a ukázal ju Joeovi.

Joe sa usmial. „Jasnačka!"

„Vynikajúca voľba, páni. Mám na ne dnes špeciálnu akciu. Kúp si desať, jedenástu dostaneš zadarmo," vynukoval Raj.

„Myslím, že jedna nám úplne stačí, Raj," ubezpečil ho Bob.

„A keď si ich kúpite päť, dostanete zadarmo polovicu."

„Nie, vďaka, Raj," odmietol Joe. „Koľko stojí?"

„Bude to tri dvadsať."

Joe vytiahol päťdesiatlibrovku.

Raj sa na ňu prekvapene zadíval. „Fíha! Tak toto som v živote nevidel. Ty si určite veľmi bohatý, mladý muž."

„Vôbec nie," bránil sa Joe.

„Dostal ju na narodeniny od ocka," pridal sa Bob.

„Šťastlivec," závidel Raj. Pokukoval na Joea. „Odniekiaľ ťa poznám."

„Naozaj?" znervóznel Joe.

„Hej. Som si istý, že som ťa už niekde videl." Raj premýšľal a ťukal si pri tom po brade. Bob ho zmätene pozoroval. „Presne," ozval sa nakoniec Raj. „Pred pár dňami som videl tvoju fotku v časopise."

„Tak to pochybujem, Raj," uškrnul sa Bob. „Jeho ocko vyrába toaletný papier!"

„Presne tak!" vykríkol Raj. Začal sa prehrabávať v kope starých novín a vytiahol prílohu bulvárneho plátku o celebritách.

Joea za zmocnila panika. „Už musím ísť."

Trafikant listoval v novinách. „Tu je to!" ukázal na fotku, na ktorej nemotorne sedel Joe pri svojej Formule 1. Potom nahlas prečítal: „Najbohatšie deti vo Veľkej Británii. Prvé miesto – Joe Kroomple, dvanásť rokov, dedič impéria Zadkočištu. Odhadované bohatstvo: desať miliárd libier."

Bobovi vypadol z úst veľký kus čokolády. „Desať miliárd?"

„Ja naozaj nemám desať miliárd," bránil sa Joe. „Médiá vždy preháňajú. Mám tak nanajvýš osem. A nedostanem sa k nim, kým nevyrastiem."

„Aj tak je to veľa peňazí!" vykríkol Bob.

„Hej, to áno. Je to veľmi veľa peňazí."

„Prečo si mi o tom nepovedal? Myslel som, že sme kamoši."

„Pre-prepáč," zahabkal Joe. „Len som chcel byť normálny. Je to hrozne trápne, keď je človek synom utririťového milionára."

„Nie, nie, mal by si byť na svojho otca hrdý!" protirečil mu Raj. „Jeho príbeh je pre nás podnetný. Prostý človek, ktorý sa stal milionárom vďaka jednoduchému nápadu!"

Joe sa nad svojím ockom nikdy nezamyslel z tejto stránky.

„Leonard Kroomple spôsobil revolúciu v utieraní zadkov!" chichotal sa Raj.

„Ďakujem, Raj!"

„Povedz ockovi, že som práve začal používať zadkočist a veľmi som si ho obľúbil! Nikdy sa mi tak neleskol zadok! Tak sa majte!"

Chlapci bez slova kráčali po ulici. Bolo počuť len, ako Bob cmúľa čokoládu.

„Klamal si mi," ozval sa.

„Povedal som ti, že vyrába toaleťák," cítil sa trápne Joe.

„Hej, ale..."

„Viem, prepáč." Joe bol v novej škole ešte len jeden deň a už bolo po jeho tajomstve.

„Tu máš výdavok," Joe siahol do vrecka a vytiahol dve dvadsaťlibrovky.

Bob vyzeral skľúčene. „Nechcem tvoje peniaze."

„Ale ja som milionár," odvetil Joe. „Môj ocko má megaveľa peňazí. Vlastne ani veľmi neviem, čo to slovo znamená, skrátka, má ich veľa. Vezmi si ich. A vezmi si aj toto." Vytiahol zvitok päťdesiatlibroviek.

„Nechcem," zdráhal sa Bob.

Joe sa zatváril nedôverčivo. „Prečo?“

„Pretože ma tvoje prachy nezaujímajú. Bolo mi dnes s tebou dobre.“

Joe sa usmial. „Aj mne s tebou.“ Odkašľal si. „Pozri, fakt ma to mrzí. Ja... decká v starej škole ma šikanovali, a to len preto, lebo môj ocko vlastní Zadkočist. Chcel som len byť normálny chalan.“

„Chápem,“ uznal Bob. „Myslím, že môžeme začať odznova.“

„Dobre,“ potešil sa Joe.

Bob zastal a podal mu ruku. „Som Bob,“ povedal.

Joe mu ju stisol. „Ja som Joe Kroomple.“

„Máš ešte ďalšie tajomstvá?“

„Nie,“ usmial sa Joe, „to je všetko.“

„Super,“ usmial sa aj Bob.

„Nepovieš to nikomu zo školy, však?“ uisťoval sa Joe. „O tom, že som milionár. Je to hrozne trápne. Najmä ak deti zistia, ako môj ocko zbohatol. Prosím ťa, nepovieš?"

„Ak nechceš, nepoviem."

„Nie, určite nechcem."

„Tak to nevyzradím."

„Vďaka."

Chalani sa pustili dolu ulicou. Po niekoľkých krokoch to Joe nevydržal. Obrátil sa k Bobovi, ktorý už zmastil polovicu obrovskej čokolády. „Môžem si kúsok dať?" opýtal sa.

„Jasné. Je spoločná," Bob odlomil kamošovi jednu kocôčku.

6

Hulvathovci

„Ááá, TUČIBOMB!" ozvalo sa im za chrbtom.

„Nezastavuj!" povedal Bob.

Joe sa otočil a zazrel dvojčatá. Vyzerali hrozivo – ako oblečené gorily. To budú obávaní Hulvathovci, ktorých spomínal Bob.

„Neobzeraj sa," radil mu Bob. „Myslím to vážne. Len kráčaj."

Joe si začínal želať, aby nekráčal k autobusovej zastávke, ale voľkal si v bezpečí svojho Rolls-Roycea.

„TUČNIAK!"

Joe s Bobom zrýchľovali, počuli však za sebou kroky. Ešte nebolo neskoro, no jesenná obloha už potemnela. Pouličné lampy blikotali a na mokrej zemi sa rozlievalo žlté svetlo.

„Rýchlo, bežme tamto!" navrhol Bob. Chlapci sa pustili úzkou uličkou a ukryli sa za obrovský zelený kontajner na kolieskach zaparkovaný pred reštauráciou Bella Pasta.

„Tuším sme sa ich zbavili," šepol Bob.

„To boli tí Hulvathovci?" opýtal sa Joe.

„Pśt! Nie tak nahlas."

„Prepáč," zašepkal Joe.

„Hej, Hulvathovci."

„Tí, čo ťa šikanujú?"

„Hej, tí. Sú to jednovaječné dvojčatá. David a Suzi Hulvathovci."

„Suzi? Jedno z dvojčiat je dievča?" Joe by odprisahal, že keď sa predtým otočil, obe dvojčatá mali na tvári chlpy.

„Hej, Suzi je dievča," pritakal Bob a tváril sa, akoby Joe bol idiot.

„Potom nemôžu byť jednovaječné," šepol Joe. „Keď jedno z nich je chalan a druhé dievča."

„No, hej, ale nikto ich nedokáže rozoznať."

Zrazu Joe s Bobom začuli, ako sa k nim blížia kroky.

„Cítim tu tučniakov!" ozvalo sa spoza druhej strany koša. Hulvathovci ho odsunuli. S chlapcami, ktorí čupeli za ním, si teraz pozerali priamo do očí. Bob mal pravdu. Dvojčatá sa podobali ako vajce vajcu. Obe boli vystrihané nakrátko, mali chlpaté hánky aj tváre. Obaja vyzerali strašne.

Zahrajme si hru Nájdi rozdiely medzi Hulvathovcami.

Dokážete nájsť desať rozdielov?

Nie, nedokážete. Vyzerajú úplne rovnako.

Uličkou zavial chladný vietor. Po zemi tancovala prázdna plechovica, v kríkoch sa čosi mihlo.

„Tak ako sa ti dnes bežalo bez úboru, Bob?" zachichotalo sa jedno Hulvathovské dvojča.

„Vedel som, že ste to boli vy!" nahnevane sa ozval Bob. „A čo ste s ním urobili?"

„Už je v kanáli!" zachichotalo sa druhé.

„A teraz navaľte čokoládu!" Dokonca ani podľa hlasov sa nedalo usúdiť, ktoré z dvojčiat je David a ktoré Suzi. Oba hlasy zneli raz piskľavo, raz prinízko.

„Kúsok nesiem domov pre mamu," ohradil sa Bob.

„To ma nezaujíma," odpovedalo jedno z Hulvathovcov.

„Daj ju sem, ty malý ****," povedalo druhé.

Milí čitatelia, musím sa vám priznať, že **** je neslušné slovo. Ďalšie neslušné slová sú *****, ďalej ******** a, samozrejme, mimoriadne neslušné slovo ************************. Ak nepoznáte žiadne neslušné slová, požiadajte rodičov, pani učiteľku alebo iné zodpovedné osoby, aby vám zostavili ich podrobný zoznam.

Ja vám ponúkam zopár neslušných slov, ktoré poznám ja.

Napríklad:

gebroš

pekný vtáčik

chruňo

prďo

tlstoprd

Malý milionár

kikimor

retard

potrimiskár

šťaldoríny

plaziprd

cicinbrus

degeš

mantinel

ťapša

mozgový atlét

cicvor

prďoch

truľo

trpák

debil

ťulpas

pako

tágo

dement

kakabus

sopliak

sviniar

ohyzd

ochechuľa

holoprd

xantipa

ozembuch

skaderuka-skadenoha

fagan

bembeľ

bimbas

galgan

fiťfiriť

ogrgeľ

oštinoha

odkundes

neogabanec

škrata

manták

ťuťko

onuca

mizerák

riťoplesk

rachétľa

hovnivál

trasorítka

chrontoš

hňup

slabinger

šupák

mešuge

Všetky tieto slová sú také neslušné, že by mi ani vo sne nenapadlo použiť ich v tejto knižke.

„Nenavážajte sa doňho!" ozval sa Joe. Vzápätí však oľutoval, že upriamil pozornosť Hulvathovcov na seba, lebo dvojčatá sa pohli smerom k nemu.

„Lebo čo?" opýtal sa David alebo Suzi a z úst im bolo cítiť krevetové čipsy, ktoré predtým uchmatli malej piatačke.

„Lebo..." Joe rozmýšľal, čo povedať, aby tých dvoch nadobro odrovnal. „Lebo ma obaja veľmi sklamete."

Nezabralo.

Hulvathovci sa rozrehotali. Uchmatli Bobovi zvyšok mliečnej čokolády a potom schmatli aj jeho. Zdvihli ho do vzduchu – Bob kričal o pomoc – a strčili ho do kontajnera na kolieskach. Kým sa Joe stihol spamätať, Hulvathovci už dupotali po ulici, rehotali sa s ústami plnými ukradnutej čokolády.

Joe si pritiahol drevenú prepravku a vyliezol na ňu, aby bol vyšší. Načiahol sa do kontajnera a chytil Boba popod pazuchy. Pozbieral všetky sily a začal svojho objemného priateľa vyťahovať von.

„Si v poriadku, nič sa ti nestalo?" opýtal sa a usiloval sa ho nepustiť.

„Ale hej. Toto mi robia v jednom kuse," upokojil ho Bob. Vytriasol si z kučeravých vlasov špagety a kúsky parmezánu – niečo mu tam možno zostalo ešte odvtedy, čo ho do koša hodili naposledy.

„A prečo to nepovieš mame?"

„Nechcem, aby si o mňa robila starosti. Má ich aj bez toho dosť," vysvetlil Bob.

„Tak to povedz niekomu z učiteľov."

„Hulvathovci povedali, že keď čo len ceknem, hrozne ma zbijú. Vedia, kde bývam, a aj keby ich vylúčili, nájdu si ma," objasnil mu Bob so slzami v očiach.

Joe videl svojho nového kamaráta v takom stave nerád.

„Jedného dňa im to vrátim. Určite. Môj ocko vždy hovorieval, že najlepší spôsob, ako sa zbaviť tyranov, je vzoprieť sa im. Jedného dňa to určite dokážem."

Joe sa díval na nového priateľa. Stál tam v spodnej bielizni, celý špinavý od talianskeho jedla.

Rozmýšľal, ako sa Bob vzoprie Hulvathovcom. Veď by ho zmasakrovali.

Možno existuje aj iný spôsob, uvažoval. *Možno by som ho vedel Hulvathovcov zbaviť navždy.*

Usmial sa. Ešte vždy mu bolo trápne, že podplatil Boba, aby dobehol posledný. Teraz mu to môže vynahradiť. Ak mu plán vyjde, budú s Bobom viac ako priatelia.

Budú *najlepší* priatelia.

7

Pieskomilová hrianka

„Niečo som ti kúpil," oznámil Joe. Sedeli s Bobom na lavičke na školskom dvore a pozorovali štíhlejšie deti, ako hrajú futbal.

„Keď si milionár, neznamená to, že mi musíš stále niečo kupovať," odvrkol Bob.

„Viem, ale..." Joe vytiahol z ruksaka obrovskú mliečnu čokoládu. Bobovi, aj keď proti vlastnej vôli, zažiarili oči.

„Môžeme si ju rozdeliť," navrhol Joe a odlomil Bobovi kúsok čokolády. Potom ten kúsoček rozlomil ešte na polovicu.

Bob vyzeral sklamane.

„Len žartujem!" vysvetlil Joe. „Na," podal Bobovi celú čokoládu.

„Nie!" skríkol Bob.

„Čo je?" začudoval sa Joe.

Bob ukázal trasúcim prstom. Po školskom dvore kráčali Hulvathovci – blížili sa k nim rovno cez futbalové ihrisko, na ktorom prebiehal zápas. Nikto sa však neodvážil nič namietať.

„Rýchlo, utečme!" navrhol Bob.

„Kam?"

„Do jedálne. Tam sa neopovážia ísť. Na to nemá nikto odvahu."

„Prečo?"

„Uvidíš."

Dobehli do jedálne. Nebolo tam ani nohy, teda okrem kuchárky.

Hulvathovci – stále nebolo jasné, kto je chalan a kto baba – im boli v pätách.

„Keď neobedujete, practe sa!" zvrieskla pani Neyedlochová.

„Pani Neyedlochová, ale…" ohradil sa, buď David, alebo Suzi.

„UŽ SOM POVEDALA, PAKUJTE SA!"

Dvojčatá neochotne cúvli a Joe s Bobom váhavo pristúpili k okienku.

Pani Neyedlochová bola tučná usmievavá žena vo veku bežnej kuchárky. Bob Joeovi ešte po ceste vysvetlil, že je to milá pani, ale to, čo varí, je naozaj hnusné. Hnusná strava. Decká zo školy by radšej položili vlastný život, než by si mali dať niektorú z jej špecialít. Vlastne, keby si niečo dali, zrejme by aj tak zomreli.

„A kto je toto?" zízala pani Neyedlochová na Joea.

„To je môj priateľ Joe," predstavil ho Bob.

Joe aj napriek odpornému zápachu v jedálni pocítil, ako sa mu po tele rozlialo teplo. Doteraz ho ešte nik nenazval priateľom.

„Tak čo si dnes dáte, chlapci?" opýtala sa s úsmevom pani Neyedlochová. „Mám veľmi chutný jazvecovo-cibuľový nákyp. S fritovanou hrdzou. Alebo vegetariánske jedlo: zemiaky pečené v šupke so syrom z ponožiek.

„Mňam, vyzerá to skvelo," zaklamal Bob. Hulvathovci na nich zízali cez špinavé sklo.

Jedlá pani Neyedlochovej boli ozaj nevýslovne odporné. Bežný jedálny lístok na týždeň vyzeral nejako takto:

Pondelok

Polievka – osová

Pieskomilová hrianka

alebo

Vlasové lazane (vegetariánske jedlo)

alebo

Tehlové kotlety

Ku všetkým jedlám príloha fritovaný kartón

Dezert – kúsok torty so zálievkou z potu

Utorok

Polievka – húsenicový vývar

Makaróny so sopľami

(vegetariánske jedlo)

alebo

Pečené mäso zo zrazeného zvieraťa

alebo

Papuča zapečená s vajcom

Dezert – zmrzlina z nechtov na nohách

Streda

Polievka – krémová z ježkov

Karí z papagája

(jedlo môže obsahovať stopy orechov)

alebo

Rizoto z lupín

alebo

Chlebový sendvič (dva plátky chleba

spojené ďalším krajcom chleba)

alebo

Grilované mačiatko (diétne jedlo)

alebo

Bolonské špagety s hlinou

Príloha – varené drevo alebo fritované

železné piliny

Dezert – koláčiky plnené veveričími bobkami

so šľahačkou alebo zmrzlinou

Štvrtok: Deň indickej kuchyne

Polievka – turbanová

Predjedlo – papierové placky

(A4 alebo A3) s čatní omáčkou

Hlavné jedlo – mokrý vecheť pečený

(vegánske jedlo)

alebo

Mole na indický spôsob (pikantné jedlo)

alebo

Jašterica na kurkume

(veľmi pikantné jedlo)

Príloha – fritované šušne

Dezert – osviežujúci pieskový sorbet

Piatok

Polievka – korytnačia

Steaky z vydry

alebo

Francúzsky koláč quiche plnený

sovím mäsom (kóšer mäso)

alebo

Varený pudlík (nevhodné pre vegetariánov)

Príloha – krajec chleba namočený v omáčke

Dezert – medvedie labky

(z medveďa hnedého)

„Neviem si vybrať," Bob si zúfalo prezeral varné nádoby s jedlom a usiloval sa nájsť niečo, čo by sa dalo jesť. „Hmm, asi si dáme pečený zemiak v šupke."

„Mohli by sme ho dostať bez syra z ponožiek?" prosíkal Joe.

Bob sa s nádejou pozrel na pani Neyedlochovú.

„Keby ste chceli, môžem vám ich posypať nastrúhaným mazom z ucha. Alebo šupinami z vlasov," núkala ich s úsmevom pani Neyedlochová.

„Ja by som si ho dal len tak, čistý," povedal Joe.

„Alebo trocha varenej hliny? Veď ešte stále rastiete, chlapci," ponúkla pani Neyedlochová a naložila na tanier niečo zelené, bolo to neopísateľné.

„Ja držím diétu, pani Neyedlochová," vysvetlil Joe.

„Aj ja," pridal sa Bob.

„To je škoda, chlapci," vzdychla si kuchárka. „Dnes máme vynikajúci dezert. Medúzový puding."

„To zbožňujem!" vykríkol Joe. „To si nikdy nedám ujsť!"

Odniesol si podnos k stolu. Zapichol vidličku do zemiaka, išiel ho prekrojiť a – zistil, že pani Neyedlochová ho zabudla upiecť.

„Tak čo, ako vám chutia tie krumple?" zrevala pani Neyedlochová z opačnej strany.

„Ďakujeme, sú vynikajúce, pani Neyedlochová," zreval aj Joe a naháňal tvrdý zemiak po tanieri. Bol ešte špinavý od hliny a všimol si, že z neho vylieza červík. „Nemám rád, keď sa príliš rozvaria. Tento je super!"

„Výborne, výborne!" odpovedala mu.

Bob sa usiloval zjesť svoj zemiak, ale ten bol taký nechutný, že sa zo zúfalstva rozplakal.

„Čo sa stalo, zlatý môj?" zakričala pani Neyedlochová.

„Nič, nič, je to také vynikajúce, až mi slzy od radosti vyhŕkli!" klamal Bob.

CCCCCCCCCCCCŔŔŔŔŔŔŔŔ-ŔŔŔŔŔŔŔŔŔŔŔŔŔŔŔŔŔŔŔŔŔŔŔŔŔŔŔŔŔNNNNNN-NNNNNNNNNNNNNNN!

Nie, milí čitatelia, ani to nie je váš zvonček. To zvoní na koniec obednej prestávky.

Joe si s úľavou vydýchol. Konečne je po obede.

„Aká škoda, pani Neyedlochová," povedal Joe. „Musíme ísť na matematiku."

Pani Neyedlochová dokrivkala k nim a pozrela im do tanierov.

„Veď ste sa toho takmer ani nedotkli!" skritizovala ich.

„Prepáčte, bolo to strašne sýte. A naozaj, naozaj výnimočne chutné," pochválil ju Joe.

„Uhm," pritakal Bob, ktorý ešte stále plakal.

„To nič, môžem vám ich odložiť do chladničky a zajtra si ich dojete."

Bob s Joeom si vymenili zúfalé pohľady.

„Ale nie, nerobte si starosti," povedal Joe.

„Rada to urobím. Teda sa uvidíme zajtra. Mám na programe pár chuťoviek. Je výročie útoku na prístav Pearl Harbour, tak si urobíme deň japonskej kuchyne. Pripravím suši z chlpov spod pazuchy a potom tempuru zo žubrienok. Chlapci? Chlapcíííí..."

„Myslím, že Hulvathovci už odišli," zistil Bob, keď sa vykradli z jedálne. „Ale musím ísť na záchod."

„Počkám ťa," navrhol Joe. Oprel sa o stenu a Bob sa stratil vo dverách. Joe by si za normálnych okolností pomyslel, že záchody sú smradľavé. A chytala by sa ho hrôza pri predstave, že by ich musel použiť. Bol zvyknutý na súkromie svojej vlastnej toalety vo vlastnej kúpeľni a na obrovskú vaňu. Musel však uznať, že to na záchode nesmrdelo až tak ako v jedálni.

Zrazu si Joe uvedomil, že sa mu za chrbtom vynorili dve postavy. Ani sa nemusel otočiť. Bol si istý, že sú to Hulvathovci.

„Kde je?" opýtalo sa jedno z dvojčiat.

„Je na chlapčenskom záchode, tam ty nemôžeš ísť," odvetil Joe. „Teda, nemôžete tam ísť naraz."

„A kde je čokoláda?" opýtalo sa druhé dvojča.

„Má ju Bob," odpovedal Joe.

„Tak ho počkáme," povedalo jedno z dvoj-
čiat.

Prvé dvojča sa otočilo k Joeovi a hodilo
naňho smrtiaci pohľad. „A teraz nám daj lib-
ru, lebo dostaneš do nosa."

Joe preglgol. „Vlastne, som aj celkom rád,
že som vás znova stretol, chalani. Teda vlas-
tne chalan a baba."

„Presne, chalan a baba," povedal David
alebo Suzi. „A teraz navaľ libru."

„Počkajte," zdržiaval Joe. „Chcel som len..."

„Daj mu päsťou do nosa, Suzi," ozvalo sa
dvojča a hádam prvý raz bolo jasné, ktoré
z nich je chalan a ktoré dievča. Potom Joea
zdrapili a pohadzovali si ho, takže sa mu tí
dvaja znova poplietli.

„Nie! Počkajte," zastavil ich Joe. „Ide o to,
že mám pre vás ponuku."

8

Bosorka

CCCCCCCCCCCCŔŔŔŔŔŔŔŔŔ-ŔŔŔŔŔŔŔŔŔŔŔŔŔŔŔŔŔŔŔŔŔŔŔNNNNNN-NNNNNNNNNNNNNNNN!

„Zvoní pre mňa, nie pre vás!" ostro ich upozornila slečna Kruthyasová. Obľúbená veta učiteľov. Je to jedna z častých viet, ktoré určite dobre poznáte aj vy. Pripomeňme si desať najpoužívanejších otrepaných učiteľských fráz:

Desiate miesto: „Nebež, kráčaj pomaly!"

Stálica na deviatom mieste: „Ty máš žuvačku?"

Ôsme miesto (postup o tri miesta): „Ešte stále počujem niekoho rozprávať."

Niekdajší víťaz, teraz pekné siedme miesto: „O tom s vami nemienim diskutovať."

Na šiestom mieste máme novinku: „Koľkokrát ti to mám opakovať?"

Pokles o jedno miesto: „S tvrdým y?!!"

Ďalšia stálica na štvrtom mieste: „Neporiadok tu tolerovať nebudem!"

Na treťom mieste znova novinka: „Chcete raz zmaturovať, alebo nie?"

Takmer víťazné druhé miesto: „Správali by ste sa takto aj doma?"

A máme tu víťaznú frázu: „Nerobíš hanbu len sebe, ale celej škole!"

Slečna Kruthyasová ich učila dejepis. Smrdela ako zhnitá kapusta. A to bolo na nej najpríjemnejšie. Patrila k najobávanejším učiteľom na škole. Keď sa usmiala, vyzerala ako krokodíl, čo si na vás brúsi zuby. Najradšej na svete trestala deti – raz dokonca nechala jedno dievča vylúčiť za to, že jej v školskej jedálni spadol na zem hrášok. „Mohla si tým hráškom niekomu vybiť oko!" zrevala.

Deti veľmi rady vymýšľali učiteľom prezývky. Niektoré boli zábavné, iné dosť kruté. Pána Paxtona, učiteľa francúzštiny, volali Paradajka, lebo mal tvár okrúhlu a červenú ako paradajka. Riaditeľa, pána Pracha, volali Korytnačka, naozaj tak vyzeral. Bol starý, vráskavý a strašne pomaly sa pohyboval. Zástupca pán Underhil si vyslúžil prezývku Pazucha, lebo sa nepríjemne potil, najmä v lete. A pani MacDonaldovú, ktorá učila prírodopis, volali Bradatá dáma alebo Chlpatá chlpaňa, češe chlpy od rána, pretože... no myslím, že vám nemusím vysvetľovať prečo.

Slečnu Kruthyasovú deti volali jednoducho Bosorka. Bola to jediná prezývka, čo na ňu skutočne sedela, a volali ju tak už celé generácie žiakov.

Nikto z detí, ktoré učila, však z dejepisu

neprepadol. Strašne sa jej báli, nikto sa ani len neodvážil prepadnúť.

„Ešte si skontrolujeme úlohu zo včera," oznámila slečna Kruthyasová s pôžitkom. Všetkým bolo jasné, že hľadala obeť.

Joe siahol do igelitky. Katastrofa. Zošit v nej nebol. Celý večer písal poriadne nudný referát o nejakej starej kráľovnej. Mala až päťsto slov. Keď sa ponáhľal, aby nezmeškal do školy, určite ju nechal na posteli.

Len to nie, pomyslel si. *Nie, nie, nieee...*

Pozrel na Boba, ten sa však zmohol len na súcitný výraz.

Slečna Kruthyasová sliedila po triede ako tyranosaurus, keď sa rozhoduje, ktoré zviera zhltne ako prvé. Bola zjavne sklamaná – všetky ufúľané detské ruky držali úlohy. Zbierala ich, až zastala pred Kroomplom.

„Pani učiteľka..." zakoktal.

„Nooooo, Krooooooompllllle?" ozvala sa slečna Kruthyasová a naschvál naťahovala každé slovo, aby predĺžila tú nádhernú chvíľu.

„Ja som ju napísal, ale..."

„Áno, samozrejme, že si ju napísal!" zachichotala sa Bosorka. Chichúňali sa aj ostatné deti, všetky až na Boba. Na svete nie je nič príjemnejšie, ako tešiť sa z cudzieho nešťastia.

„Zabudol som ju doma."

„Budeš mať na starosti zber smetí!" vyštekla učiteľka.

„Ja neklamem, pani učiteľka. A dnes mám doma ocka, mohol by som..."

„To je úplne jasné. Tvoj otec určite nemá ani fuka a je doma na podpore. Vysedáva a celý deň zíza na telku, presne ako budeš ty o niekoľko rokov. No čo si chcel?"

Joe s Bobom sa pri tej poznámke na seba uškrnuli.

„Ehm..." ozval sa Joe. „Keby som mu zavolal a poprosil ho, aby mi referát doniesol, uverili by ste mi?"

Slečna Kruthyasová sa usmiala od ucha k uchu. Zapáčilo sa jej to.

„Kroomple, dávam ti pätnásť minút na doručenie úlohy. Dúfam, že tvoj otec pohne zadkom."

„Ale..." ohradil sa Joe.

„Žiadne ale, chlapče. Máš pätnásť minút."

„Tak to vám veľmi pekne ďakujem," odvetil sarkasticky Joe.

„Nemáš veľmi za čo," zareagovala Bosorka. „Som presvedčená, že každý v mojej triede má právo dostať šancu, aby svoju chybu napravil."

Obrátila sa na triedu: „Ostatní môžete ísť."

Deti sa vyhrnuli na chodbu. Slečna Kruthyasová sa vybrala za nimi a vyvreskovala: „Nebež, kráčaj pomaly!"

Slečna Kruthyasová si nemohla odpustiť ďalšiu otrepanú frázu. Bola priam majsterkou otrepaných fráz. A teraz sa nedokázala zastaviť.

„O tom nemienim diskutovať!" vykrikovala na žiakov. Bola na koni. „Ty máš žuvačku?" zahučala cez celú chodbu na školského inšpektora, ktorý práve prechádzal okolo.

„Tak teda pätnásť minút, pani učiteľka?" opýtal sa Joe.

Slečna Kruthyasová pozrela na malé starožitné hodinky. „Už len štrnásť minút a päťdesiatjeden sekúnd."

Joe preglgol. Stihne to ocko za taký krátky čas?

9

„Tyčinku?"

„Tyčinku?" ponúkol Bob priateľovi jednu z dvoch tyčiniek Twix.

„Vďaka, kamoš," poďakoval sa Joe. Stáli v tichom kúte školského dvora a rozjímali nad Joeovou bezútešnou budúcnosťou.

„Čo budeš robiť?"

„Neviem. Napísal som ockovi esemesku. Ale za pätnásť minút to nestihne. Čo ešte môžem robiť?"

Joeovi napadlo niekoľko riešení.

Mohol by vynájsť stroj času a cestovať do

minulosti – musel by si však dobre pamätať,
že si nemá zabudnúť úlohu. Asi to však bude
trocha zložité, lebo keby už niekto pred ním
(alebo po ňom) stroj času vynašiel, iste by sa
ktosi z budúcnosti vrátil späť a zabránil vzni-
ku aspoň polovici z hudobných skupín slad-
kých mladých chlapcov.

Joe by sa mohol vrátiť do triedy a povedať
slečne Kruthyasovej, že mu úlohu zožral tiger.
Nebolo by to až také veľké klamstvo, lebo doma
naozaj mali súkromnú zoo a v nej aj tigra. Vo-
lal sa Džef. A mali aj aligátora menom Polly.

Mohol by odísť do kláštora. Stal by sa z ne-
ho mních, celé dni by sa modlil a spieval žal-
my, skrátka, venoval by sa náboženskej tema-
tike. Kláštor by ho síce ochránil pred slečnou
Kruthyasovou a čierna farba by mu pristala,
ale na druhej strane by to bola dosť nuda.

Odsťahovať sa na inú planétu. Najbližšie je Venuša, ale Neptún je istota.

Prežiť zvyšok života pod zemou. Možno by mohol založiť kmeň obyvateľov žijúcich pod zemským povrchom a vytvoriť tajné spoločenstvo ľudí, ktorí nedoniesli slečne Kruthyasovej domácu úlohu.

Ísť na plastiku a zmeniť si totožnosť. Zvyšok života by prežil ako starenka s menom Winni.

Stať sa neviditeľným. Nemal však predstavu, ako na to.

Bežať do kníhkupectva a kúpiť si knihu *Naučte sa ovládať svoju myseľ za desať minút* od profesora Stevena Rychlíka. Potom rýchlo zhypnotizovať slečnu Kruthyasovú, aby si myslela, že jej úlohu už odovzdal.

Zamaskovať sa za tanier bolonských špagiet.

Podplatiť školskú lekárku, ktorá by slečne Kruthyasovej povedala, že zomrel.

Ukryť sa do kríkov, stráviť tam zvyšok života a jesť len červy a larvy.

Natrieť sa namodro a vyhlasovať, že je Šmolko.

Joe ešte ani nestihol domyslieť svoj plán, a už za nimi zase stáli dva známe sivé tiene.

„Bob," povedal jeden tieň hlasom ani vysokým, ani nízkym – nedalo sa určiť, či je to chalan, či dievča.

Chalani sa otočili. Boba ten večný boj už prestával baviť, jednoducho natiahol ruku a podal im nahryznutú Twixku.

„Neboj sa," šepol Joeovi. „Do ponožky som si skryl kopu lentiliek."

„My nechceme tvoju tyčinku," povedal Hulvath číslo jeden.

„Nie?" začudoval sa Bob. Myseľ mu začala frčať na plné obrátky. Vedia azda Hulvathovci o lentilkách?

„Nie, my sme ti prišli povedať, že nás veľmi mrzí, čo sme ti robili," ozval/-a sa aj Hulvath/-ka číslo dva.

„A na znak zmierenia by sme ťa radi pozvali na šálku čaju," dodal/-a Hulvath/-ka číslo jeden.

„Čaju?" nechápal Bob.

„Hej, a možno by sme si mohli zahrať Človeče, nehnevaj sa," navrhol/-la Hulvath/-ka číslo dva.

Bob pozrel na priateľa, Joe len mykol plecom.

„Dík, chalani, teda vlastne chalan a baba, zjavne..."

„Zjavne," zopakovalo bližšie neurčené dvojča.

„... mám dnes dosť práce," pokračoval Bob.

„Tak možno nabudúce," povedalo druhé z dvojčiat a odišli.

„To bolo čudné," vytiahol Bob niekoľko lentiliek, ktoré teraz smrdeli ako spotené nohy. „Neviem si predstaviť jediný večer v živote, kedy by som si s tými dvoma chcel zahrať čokoľvek. Ani keby som sa mal nudiť sto rokov."

„Naozaj zvláštne," pridal sa aj Joe. Rýchlo odvrátil pohľad.

V tej chvíli sa po školskom dvore rozľahol ohlušujúci zvuk. Joe zdvihol zrak. Nad hlavami im hučal vrtuľník. Deti okamžite prestali hrať futbal a utekali z cesty pristávajúcemu monštru. Vrtuľa vytvárala taký vietor, až vo vzduchu lietali vrecká s obedmi detí. Vrecúška s čipsami, čokoládkami a jogurtmi tancovali vo vzdušnom víre, a keď sa vrtuľa

prestala krútiť a motor stíchol, popadali na zem.

Pán Kroomple vystúpil z miesta spolujazdca a uháňal cez školský dvor s úlohou v ruke.

To hádam nie! pomyslel si Joe.

Pán Kroomple mal na hlave príčesok hnedej farby, pridržal si ho oboma rukami. Na sebe mal zlatý overal s čiernym lesklým nápisom ZADKOČIST AIR na chrbte.

Joe mal pocit, že od hanby skape. Pokúšal sa skryť za jedno zo starších detí. Bol však pritučný a ocko ho zbadal.

„Joe! Joe! Tak tu si!" kričal pán Kroomple.

Všetky deti sa dívali na Joea Kroompla. Doteraz si nového nízkeho tučného chalana veľmi nevšímali. Teraz vyšlo najavo, že jeho otec má vrtuľník. Naozajstný vrtuľník! Fú-úúha!

„Tu je tá esej, synak! Dúfam, že je to v pohode. A spomenul som si, že som ti nedal peniaze na jedlo. Tu máš päťsto libier."

Pán Kroomple vytiahol z peňaženky zo zebrej kože zväzok novučičkých päťdesiatlibroviek. Joe mu odstrčil ruku, všetky decká ich so závisťou pozorovali.

„Prídem po teba o štvrtej, synak?" opýtal sa pán Kroomple.

„*Tyčinku?*"

„Netreba, oci, pôjdem autobusom," za-
mrmlal Joe s pohľadom zabodnutým do
zeme.

„Môžete prísť tým vrtuľníkom po mňa!"
zakričal jeden veľký chalan.

„Aj po mňa!" zakričal ďalší.

„Po mňa!"

„Po mňa!"

„PO MŇA!"

„PRÍĎTE PO MŇA!!!"

O chvíľu vyvreskoval a mával celý školský
dvor – každý sa usiloval votrieť do pozornos-
ti nízkeho tučného chlapíka v zlatom overale.

Pán Kroomple sa smial. „Možno by si mo-
hol pozvať pár kamošov na víkend, nech sa
povozia na vrtuľníku!" navrhol s úsmevom na
perách.

Školským dvorom zaburácala vlna radosti.

„Ale, oci...“ To bolo posledné, po čom by Joe túžil. Aby niekto videl, aký nehorázne honosný dom majú a koľko neuveriteľne veľa ľudí zamestnávajú. Pozrel na umelohmotné digitálky. Zostávalo mu tridsať sekúnd.

„Musím bežať, oci,“ vyhŕkol. Vychmatol ockovi z ruky papier a trielil do budovy tak rýchlo, ako mu to len krátke tučné nohy dovolili.

Keď bežal po schodoch, míňal nemožného staručkého riaditeľa, ktorý sa viezol dolu schodmi na stoličkovom výťahu. Pán Prach vyzeral na sto rokov, ale pravdepodobne mal ešte viac. Skôr by sa hodil za exponát do Múzea histórie prírody ako za riaditeľa školy, bol však neškodný.

„Nebež, kráčaj pomaly!“ zamrmlal. Otrepané frázy používajú dokonca aj starí učitelia.

Joe letel po chodbe do triedy, kde ho čakala slečna Kruthyasová, a všimol si, že za ním beží pol školy. Niektorí dokonca kričali: „Hej, Pán Spláchnutý!"

Vyvedený z miery pridal a vletel do triedy. Bosorka držala v ruke hodinky.

„Mám ju, pani učiteľka!" vyhlásil Joe.

„Meškáš päť sekúnd!" oznámila.

„Vy žartujete, pani učiteľka!" Joe nemohol uveriť, že niekto môže byť taký zlomyseľný. Obzrel sa a zistil, že ho cez sklo pozorujú stovky žiakov. Všetci chceli zachytiť pohľad najbohatšieho chalana na škole, možno aj na svete. Nosy prilepené na sklo vyzerali ako banda prasacích ksichtov.

„Máš trest! Budeš zbierať smeti!" oznámila mu slečna Kruthyasová.

„Ale, pani uč..."

„Celý týždeň!"

„Pani u..."

„Celý mesiac!"

Joe už radšej nič nehovoril a vliekol sa cez triedu. Zavrel za sebou dvere. Na chodbe naňho ešte vždy zízalo niekoľko stovák očí.

„Óóó! Milionár!" ozval sa hlboký hlas zozadu. Bol to jeden z veľkých chalanov, ale Joe nevedel ktorý. Všetci veľkí chalani mali fúzy a jazdili na Fordoch Fiesta. Celá škola sa zasmiala.

„Požičaj nám milión!" skríkol niekto.

Zaznel ohlušujúci smiech. Všetko hučalo.

Tak toto je môj koniec, pomyslel si Joe.

10

Psie sliny

Joe cupital cez školský dvor do jedálne a všetky deti za ním. Bežal so sklonenou hlavou. Tú neuveriteľnú popularitu priam nenávidel. Za chrbtom počul hlasy.

„Hej, Utririť, chcem byť tvoj kamoš!"

„Ukradli mi bicykel, kúp mi nový, kámo!"

„Žični mi desinu..."

„Chcem byť tvoja gorila!"

„Poznáš sa s Justinom Timberlakom?"

„Moja babka potrebuje nový dom, dáš nám stotisíc, však?"

„Koľko máte doma vrtuľníkov?"

„Načo vlastne chodíš do školy?
Veď si bohatý!"

„Dáš mi autogram?"

„Nezorganizuješ v sobotu večer u vás doma
megapárty?"

„Daruj mi doživotnú zásobu toaleťáku!"

„Kúp školu a prepusť všetkých
učiteľov!"

„Mohol by si mi kúpiť za vrece arašidov v čokoláde?
Tak dobre, teda len jeden balíček, ty skupáň!"

Joe sa rozbehol. Aj deti. Joe spomalil. Deti prestali bežať tiež. Joe sa otočil a pustil sa opačným smerom. Deti sa otočili a aj ony zmenili smer.

Malé ryšavé dievčatko sa pokúsilo schmatnúť mu ruksak, ale tresol ju päsťou po ruke.

„Au, asi mi zlomil ruku," rozplakalo sa. „Podám na teba žalobu, zaplatíš mi odškodné desať miliónov libier!"

„Udri ma!" zakričal nejaký hlas.

„Nie! Udri mňa!" zakričal iný hlas.

Vysoký chalan v okuliaroch dostal lepší nápad: „Kopni ma do nohy a môžeme sa dohodnúť na mimosúdnom vyrovnaní. Dáš mi dva milióny! Prosím!"

Joe letel do jedálne. Je to jediné miesto, ktoré v čase obeda zaručene zostáva prázdne. Joe sa usiloval zatlačiť lietacie dvere dozadu na obrovskú vlnu detí, ale nepodarilo sa. Deti preleteli cez dvere a zaplnili celú miestnosť.

„POSTAVTE SA PEKNE DO RADU!"

vyvreskovala kuchárka pani Neyedlochová.

Joe kráčal k okienku.

„Tak čo si dáš dnes, Joe?" milo sa naňho

usmiala. „Na začiatok ti môžem ponúknuť

veľmi pŕhlivú žihľavovú polievku."

„Dnes nie som veľmi hladný, asi si dám

rovno druhé jedlo, pani Neyedlochová."

„Kuracie prsia."

„To znie chutne."

„Áno. Sú s omáčkou zo psích slín. A pre

vegetariánov máme výbornú fritovanú plas-

telínu."

Joe preglgol. „Veľmi ťažké rozhodovanie.

Psie sliny som mal včera."

„To je škoda. Tak ti naberiem fritovanú

plastelínu," rozhodla sa kuchárka a naložila

Joeovi na tanier kus niečoho modrého, maz-

ľavého. Až ho z toho naplo.

„Ak nechcete jesť, practe sa von!" zrevala na hŕbu detí, čo sa stále tlačili v dverách.

„Kroomplov otec má vrtuľník, pani Neyedlochová," zakričal niekto zozadu.

„Je neskutočne bohatý!" pridal sa ďalší.

„Zbohatol!" zakričal tretí.

„Len ma tresni, Kroomple, a vytrieskam z teba štvrť milióna," ozval sa tenký hlások zozadu.

„POVEDALA SOM – VON!" zrevala pani Neyedlochová. Kopa detí neochotne cúvla a musela sa uspokojiť so špehovaním Joea cez špinavé okná.

Joe nožom zoškrabal modrý povlak. Mal pocit, že surový zemiak zo včera je božské jedlo. Pani Neyedlochová po chvíli dokrivkala k jeho stolu.

„Prečo na teba všetci tak zízajú?" opýtala

sa zhovievavo a pomaly zložila objemné telo na stoličku vedľa neho.

„To je dlhý príbeh, pani Neyedlochová."

„Porozprávaj mi ho, zlatko," povzbudila ho. „Som školská kuchárka. Ja som sa už v živote napočúvala príbehov."

„Tak teda dobre," Joe dožul obrovský kus plastelíny, čo mal v ústach, a starej kuchárke porozprával všetko. Ako ocko vynašiel Zadkočist, ako sa presťahovali do obrovskej usadlosti, ako mal namiesto komorníka orangutana (to mu kuchárka trochu závidela) a ako by nikto na nič neprišiel, keby ten jeho otrasný otec neprišiel na školský dvor vrtuľníkom.

Deti naňho celý čas zízali cez okno, akoby bol zviera zo zoo.

„To je smutné, Joe," uznala pani Neyedlochová. „Musí to byť pre teba hrozné, úbožiatko. Teda vlastne nie si úbožiatko doslova a dopísmena, ale chápeš, čo som tým chcela povedať."

„Ďakujem vám, pani Neyedlochová." Joea prekvapilo, že niekto ľutuje človeka, čo má všetko. „Mám to ťažké. Teraz neviem, komu dôverovať. Zdá sa, že všetky deti v škole odo mňa teraz čosi chcú.

„Tak to si píš," súhlasila pani Neyedlochová a vytiahla z tašky obložený chlebík.

„Vy si nosíte vlastný obed?" prekvapene sa opýtal Joe.

„Hej, kto by jedol to svinstvo. Veď to je nechutné," konštatovala. Natiahla ruku ponad stôl a položila ju na chlapcovu ruku.

„Ďakujem vám, že ste ma vypočuli, pani Neyedlochová."

„To je v poriadku, Joe. Keď budeš potrebovať, príď. Hocikedy. Veď ty vieš – hocikedy." Usmiala sa. Aj Joe sa usmial.

„A ešte..." dodala pani Neyedlochová, „potrebovala by som desaťtisíc na operáciu bedrového kĺbu."

11

Stanovačka

„Ešte tamto," ozval sa Bob.

Joe sa zohol a zodvihol ďalšiu špinu na školskom dvore. Strčil odpad do koša, ktorý mu ochotne zaobstarala slečna Kruthyasová. Bolo päť hodín a školský dvor sa už úplne vyprázdnil. Zostali len smeti.

„Nevravel si, že mi pomôžeš?" obviňoval ho Joe.

„Veď ti pomáham! Tu je ďalšia špina." Bob ukázal na papier z nejakej sladkosti, čo ležal na asfalte, a chrúmal čipsy. Joe sa zohol a zodvihol ho. Bol to obal z Twixky. Zrejme ten, ktorý odhodil v priebehu dňa on sám.

„Nuž, myslím, že už všetci vedia, aký si bohatý,“ zamyslel sa Bob. „Mrzí ma to.“

„Hej, aj podľa mňa vedia.“

„Teraz sa asi všetky deti v škole budú chcieť s tebou kamarátiť,“ ticho nadhodil Bob. Keď sa naňho Joe pozrel, odvrátil sa.

„Možno,“ usmial sa Joe, „ale pre mňa znamená viac to, že sme boli kamoši ešte predtým, ako sa to všetci dozvedeli.“

Bob sa uškrnul. „Skvelé,“ potešil sa. Potom ukázal prstom na zem k svojim nohám. „Ešte si zabudol tento, Joe.“

„Vďaka, Bob,“ vzdychol si Joe, opäť sa zohol a tentoraz zodvihol obal od čipsov, čo práve odhodil jeho kamoš.

„Toto nie,“ povedal Bob.

„Čo sa deje?"

„Hulvathovci!"

„Kde?"

„Tam, pri stojane na bicykle. Čo môžu chcieť?"

Dvojčatá striehli za stojanom na bicykle. Keď zbadali Joea s Bobom, zakývali im.

„Neviem, čo je horšie," pokračoval Bob. „Či to, keď človeka šikanujú, alebo keď ho pozývajú na čaj."

„ČAU, BOB!" pozdravil jeden z Hulvathovcov a obaja sa pustili k Bobovi.

„Ahojte, Hulvathovci," otrávene odzdravil Bob.

Tyranské dvojčatá sa neúprosne blížili.

„Napadlo nám," pokračovalo druhé dvojča, „že cez víkend ideme stanovať. Nešiel by si s nami?"

Bob prosebne pozrel na Joea. Pozvanie na stanovačku s tými dvoma nebolo veľmi lákavé.

„To je ale strašná škoda," klamal Bob. „Tento víkend mám nabitý."

„A čo budúci víkend?" opýtalo sa prvé dvojča.

„Obávam sa, že aj budúci."

„A ten ďalší?" opýtalo sa druhé dvojča.

„Totálne plný..." koktal Bob, „... neuveriteľné, koľko mám povinností. Veľmi ma to mrzí. Mohlo by tam byť super. A, mimochodom, čaute, uvidíme sa zajtra, hrozne rád by som s vami pokecal, ale musím Joeovi pomôcť zbierať odpadky. Majte sa!"

„A niektorý víkend na budúci rok?" opýtalo sa prvé dvojča zase.

Bob zastal. „Noo... ehm... uhm... budúci

rok som nesmierne vyťažený. Tak rád by som sa k vám pridal, ale naozaj sa to nedá."

„A čo ďalší rok?" opýtalo sa druhé z Hulvathovcov. „Nenájdeš si jeden víkend? Máme parádny stan."

Bob to už dlhšie nevydržal.

„Pozrite, jeden deň ma šikanujete a druhý ma pozývate na stanovačku. O čo vám ide?"

Hulvathovci spýtavo pozreli na Joea. „Joe?" ozvalo sa jedno z dvojčiat.

„Mysleli sme si, že nebude ťažké správať sa k Bobkovi milo," uznalo druhé. „Ale on všetko odmieta. Tak čo máme robiť, Joe?"

Joe si nahlas odkašľal. Hulvathovci zrejme nepochopili.

„Ty si im zaplatil, aby ma nešikanovali, čo?" Bob chcel vedieť pravdu.

„Nie," odvetil Joe váhavo.

Bob sa obrátil na Hulvathovcov. „Zaplatil vám?" vyzvedal.

„Henie," odpovedali Hulvathovci. „Teda vlastne, niehej."

„A koľko?"

Hulvathovci pozreli na Joea. Ale už bolo neskoro. Pravda vyšla najavo.

„Každému po desať libier," povedal/-a niektorý/-á Hulvath/-ka. „Ale videli sme vrtuľník. Nie sme sprostí. Chceme viac, Kroomple."

„Hej!" pokračoval/-a druhý/-á Hulvath/-ka. „A keď nám zajtra hneď ráno nevysolíš po jedenásť libier, skončíš v kontajneri, Joe."

Hulvathovci oddupali preč.

Bob mal od zlosti v očiach slzy. „Ty si myslíš, že peniazmi vyriešiš všetko, čo?"

Joe nevedel, čo povedať. Zaplatil Hulvathovcom, aby Bobovi pomohol. Vôbec nechápal, prečo sa jeho kamoš tak naštval. „Bob, chcel som ti iba pomôcť, nechcel som..."

„Ja nie som odkázaný na charitu, jasné?"

„Ja viem, len som..."

„No, čo?"

„Len som nechcel, aby ťa znova strčili do kontajnera."

„Dobre," ozval sa Bob, „takže si si myslel, že bude lepšie, keď sa budú Hulvathovci správať čudne a priateľsky a budú točiť o stanovačkách?!"

„Nuž, s tou stanovačkou prišli sami, ale hej."

Bob potriasol hlavou. „Nemôžem tomu uveriť. Si... si... rozmaznaný fagan!"

„Prosím?" nechápal Joe. „Veď som ti chcel len pomôcť. To naozaj radšej skončíš v kontajneri a necháš si vziať čokoládu?"

„Hej!" kričal Bob. „Radšej! Budem proti nim bojovať vlastnými zbraňami. Vďaka!"

„Rob, ako chceš!" naštval sa Joe. „A užívaj si pobyt v kontajneri."

„Aj si budem!" odvrkol Bob a odišiel.

„Chudák!" zakričal za ním Joe, ale Bob sa neotočil.

Joe zostal sám. Okolo neho celé more smetí. Paličkou na smeti napichol obal od tyčinky Mars.

Nechápal Boba. Myslel si, že si našiel priateľa, ale zistil, že je to sebecký, nevychovaný a nevďačný tlstoprd.

12

Oranžová kráska z tretej strany

„… a Bosorka povedala, že aj napriek tomu mám naďalej zbierať smeti," vysvetľoval Joe.

Sedel s ockom na jednom konci vylešteného jedálenského stola pre tisíc osôb a čakali na večeru. Zo stropu viseli obrovitánske lustre s diamantmi, steny zdobili nie príliš vkusné, zato riadne drahé obrazy.

„Aj napriek tomu, že som ti doniesol úlohu vrtuľníkom?" zlostil sa pán Kroomple.

„Aj tak. Nespravodlivé, čo?" odvetil Joe.

„Nevynašiel som obojstranný vlhko-suchý

toaletný papier na to, aby môj syn zbieral od-padky!"

„Viem," uznal Joe, „slečna Kruthyasová je taká krava!"

„Zajtra zaletím do školy a poviem tej uči-teľke, čo si o tom myslím!"

„Nie, prosím ťa, nie, oci! Dosť som sa han-bil už dnes."

„Prepáč, synak," ospravedlňoval sa pán Kroomple. Tváril sa teraz trocha ukrivdene a v Joeovi to vyvolalo pocit viny. „Chcel som ti iba pomôcť."

Joe si vzdychol. „Ale druhý raz to nerob, oci. Je to hrozný pocit, keď všetci vedia, že som synom majiteľa Zadkočistu."

„Nuž, s tým ja nič nenarobím, chlapče. Zad-kočist mi pomohol zarobiť peniaze. Vďaka nemu žijeme v tomto obrovskom dome."

„Hej, chápem," uznal Joe. „Len už nechoď do školy vrtuľníkom leteckej spoločnosti Zadkočist Air ani žiadnej inej, dobre?"

„Dobre," súhlasil pán Kroomple. „A čo ten tvoj kamoš?"

„Bob? Už vlastne ani nie je môj kamoš," odvetil Joe a zvesil hlavu.

„A to už prečo?" zaujímalo pána Kroompla. „Mal som pocit, že si veľmi dobre rozumiete."

„Podplatil som tých dvoch tyranov, aby ho nešikanovali," vysvetlil Joe. „Robili mu zo života peklo, tak som im dal trochu peňazí, aby ho nechali na pokoji."

„No a?"

„Nuž, prišiel na to. A potom, len si predstav, naštval sa. Povedal mi, že som rozmaznaný fagan!"

„Prečo?"

„Ako to mám vedieť? Tvrdil, že sa radšej dá šikanovať, akoby mal prijať moju pomoc."

Pán Kroomple krútil hlavou od údivu. „Ten Bob bude asi trocha mimo. Pravda je taká, že keď má človek toľko peňazí ako my, natrafí v živote na veľa nevďačníkov. Zdá sa mi, že bez Boba ti bude lepšie. Akoby netušil, aké dôležité sú peniaze. Ak chce mať aj ďalej problémy, kašli naňho."

„Hej," vzdychol si Joe.

„Nájdeš si iného kamoša," povedal pán Kroomple. „Veď si bohatý. Stretneš niekoho seberovného. Rozumného. Nie takého hlupáka ako Bob."

„Tým som si nie taký istý," uvažoval Joe. „Teraz všetci vedia, kto som."

„Stretneš, Joe, určite. Ver mi," usmial sa pán Kroomple.

Cez obrovské krídlové dvere vstúpil do jedálne dokonale upravený komorník. Trocha strojene zakašľal, aby na seba obrátil pozornosť svojho pána. „Slečna Zafíria Natvrdlá, páni."

Pán Kroomple si rýchlo hodil na hlavu ryšavý príčesok a do miestnosti na ozrutánsky vysokých podpätkoch vcupitala cica z fotky v bulvárnom plátku.

„Prepáčte, trocha meškám, bola som v solárku," ospravedlnila sa.

Bolo to vidieť. Zafíria bola opálená na každučkom štvorcovom centimetri tela. Bola až oranžová. Ako pomaranč, možno ešte oranžovejšia. Skúste si predstaviť najoranžovejšieho človeka, akého ste kedy videli, a ešte vynásobte jeho oranžovosť desiatimi. A ako keby nevyzerala už aj tak dosť hrôzostrašne, mala na sebe minišaty limetkovej farby a v ruke neónovo ružovú kabelku.

„Čo tu chce?" nechápal Joe.

„Správaj sa slušne!" šplechol mu ocko.

„Pekný barák," povedala Zafíria a s obdivom si obzerala obrazy a lustre.

„Vďaka, je to jeden z mojich sedemnástich domov. Komorník, oznámte kuchárovi, že môže začať podávať večeru. Čo dnes máme?"

„Foie gras, pane," odvetil komorník.

„Čo?" nerozumel pán Kroomple.

„Husacia pečeň zo špeciálne kŕmenej husi, pane."

Zafíria zmraštila tvár. „Ja si dám len čipsy."

„Aj ja!" pridal sa Joe.

„Ja tiež!" rozhodol sa aj pán Kroomple.

„O chvíľu som tu aj s tromi balíčkami čipsov, pane," ironicky sa uškrnul komorník.

„Vyzeráš úchvatne, anjel môj!" zalichotil pán Kroomple Zafírii a chcel ju pobozkať.

„Rozmažeš mi rúž!" odsotila ho Zafíria.

Pána Kroompla sa to zjavne trocha dotklo, ale snažil sa zachovať dekórum. „Sadni si u nás. Vidím, že máš tú novú kabelku od Diora, čo som ti poslal."

„Hej, ale majú ju v ôsmich farbách. Na každý deň v týždni jednu. Myslela som, že mi kúpiš všetkých osem."

„Kúpim, princezná moja drahá," brblal pán Kroomple.

Joe udivene pozeral na ocka. Nemohol uveriť, že naletel takej príšernej ženskej.

„Podáva sa večera," oznámil komorník.

„Tuto, anjel môj radostný, sadni si sem," ponúkol jej miesto pán Kroomple a komorník odtiahol stoličku.

Do miestnosti vstúpili traja čašníci – každý niesol strieborný podnos. Opatrne položili taniere na stôl. Komorník dal pokyn a čašníci zdvihli strieborné poklopy a odkryli tri balíčky octových čipsov. Trojica sa pustila do jedla. Pán Kroomple sa najskôr snažil jesť čipsy príborom, aby vyzeral distingvovane, ale po chvíli ho to prešlo.

„Už o jedenásť mesiacov budem mať narodky," nadhodila Zafíria. „Pripravila som si kratší zoznam darčekov, ktoré mi môžeš kúpiť."

Nechty mala také dlhé a umelé, že z ružovej kabelky takmer nedokázala vyloviť papier. Vyzerala ako jeden z automatov, v ktorom sa pomocou mechanickej ruky lovia hračky, a väčšinou človek nič nevyhrá.

Nakoniec sa jej to podarilo a podala zoznam pánovi Kroomplovi. Joe ockovi ponad plece čítal, čo na ňom bolo naškriabané:

Zoznam darčekov pre Zafíriu

Zlatý kabriolet Rolls-Royce

Milión libier v hotovosti

500 párov slnečných okuliarov Versace

Letný dom v južnom Španielsku (veľký)

Kýbeľ diamantov

Jednorožec

Bonboniéra Ferrero Rocher (veľká)

Veľká ohromná obrovská, akože fakticky ozrutná jachta

Veľké jazero a v ňom novinárske kačice[2]

Film Čivava z Beverly Hills na DVD

---

[2] Podľa mňa jej vôbec nedocvaklo, že s týmto darčekom to bohvieako nevyhrala.

5 000 fliaš parfumu značky Chanel

Ešte jeden milión libier v hotovosti

Zlato, veľa

Doživotné predplatné módneho časo-
pisu

Súkromné prúdové lietadlo (nové, žiadnu
ojazdenú rachotinu)

Hovoriaci pes

Rôzne drahé drobnosti

100 šiat z dielní módnych návrhárov (Ne-
záleží na tom, ktorých, hlavne nech sú
drahé. Tie, čo sa mi nebudú páčiť, strelí
moja máti niekomu na trhu.)

Liter polotučného mlieka

Belgicko

„Samozrejme, že ti to všetko kúpim, anjel
môj jediný," slintal pán Kroomple.

„Ďakujem, Ken," poďakovala Zafíria s ústami plnými čipsov.

„Som Len," opravil ju pán Kroomple.

„Ach, soráč. LOL, Len. Aká haluz!" mlela.

„To určite nemyslíš vážne!" zlostil sa Joe. „Hádam jej to všetko nechceš kúpiť?"

Pán Kroomple nahnevane pozrel na Joea. „A prečo nie, synak?" usiloval sa držať emócie na uzde.

„Hej, prečo nie, ty malý smrad?" domáhala sa odpovede aj Zafíria. Tá zjavne nemala v úmysle držať sa na uzde.

Joe chvíľu váhal. „Je nad slnko jasnejšie, že si s mojím otcom len pre peniaze!"

„Nehovor s mamou takýmto tónom!" kričal pán Kroomple.

Joeovi takmer vypadli oči z jamiek. „Nie

je to moja mama, je to tvoja hlúpa frajerka a je odo mňa len o sedem rokov staršia!"

„Ako sa opovažuješ?" penil pán Kroomple. „Ospravedlň sa jej!"

Joe vzdorovito mlčal.

„Povedal som, ospravedlň sa!" kričal pán Kroomple.

„Nie!" kričal aj Joe.

„Choď do svojich izieb!"

Joe čo najhlučnejšie zasunul stoličku a dupotal po schodoch. Sluhovia sa robili, že nič nevidia.

Sadol si na kraj postele a objal si kolená. Už ho dlho neobjal žiadny iný človek, tak sa objímal sám. Poriadne stisol svoje tučné vzlykajúce telo. Takmer si želal, aby ocko nikdy nebol vynašiel Zadkočist a aby žili spolu s mamou v štátnom byte. Po chvíli ktosi zaklopal na dvere. Joe sedel ticho ako mucha.

„To som ja – ocko."

„Choď preč!" zakričal Joe.

Pán Kroomple otvoril dvere a sadol si na posteľ vedľa syna. Takmer spadol na zem. Saténové obliečky síce vyzerajú elegantne, ale nie sú veľmi praktické.

Pán Kroomple pomaly dozadkoskákal bližšie k synovi.

„Nechcem, aby sa môj malý Zemiačik takto trápil. Viem, že Zafíria ti nie je sympatická, ale som s ňou šťastný. Chápeš to?"

„Ani nie," odpovedal Joe.

„Viem, mal si dnes v škole ťažký deň. S tou učiteľkou aj s tým nevďačníkom Bobom. Tiež ma to trápi. Viem, ako veľmi si túžil po priateľovi, a ani ja som ti to veľmi neuľahčil. Porozprávam sa s vaším riaditeľom. Pokúsim sa ti pomôcť, ako to len bude v mojich silách."

„Ďakujem, oci," vzlykal Joe. „Prepáč, že plačem." Na chvíľu zaváhal. „Mám ťa rád."

„Nápodobne, synak, nápodobne," odvetil pán Kroomple.

13

Nové dievča

Prešli polročné prázdniny, a keď sa Joe v pondelok ráno vrátil do školy, zistil, že už nie je stredobodom pozornosti. Do školy prišla nová baba a bola nénormáááálne krásna. Všetci hovorili iba o nej. Joe vošiel do triedy a uvidel ju. Bola ako obrovský nečakaný darček.

„Akú máme dnes prvú hodinu?" opýtala sa, keď prechádzali cez školský dvor.

„Pro-prosím?" zajachtal Joe.

„Pýtala som sa, že čo máme dnes prvú hodinu," zopakovalo nové dievča.

„Ja viem, ja len... to si sa naozaj pýtala mňa?" Joe tomu nemohol uveriť.

„Hej, pýtala som sa teba," zasmiala sa. „Som Laura."

„Viem." Joe si nebol istý, či to, že si zapamätal jej meno, je zdvorilé, alebo divné.

„A ako sa voláš ty?" opýtala sa.

Joe sa usmial. Predsa len existuje v škole človek, ktorý o ňom nič nevie.

„Volám sa Joe," predstavil sa Laure.

„A ďalej?" vyzvedala Laura.

Joe nechcel, aby sa hneď dozvedela, že má niečo spoločné zo Zadkočistom. „Ehm, Joe Zemiačko," narýchlo obmenil meno Kroomple.

„Joe Zemiačko?" zopakovala prekvapene.

„Hej," zamrmlal Joe. Jej krása ho natoľko oslnila, že mu nič lepšie nenapadlo.

„Zvláštne meno, Zemiačko," čudovala sa Laura.

„Hej, zvláštne. Je to akoby zdrobnenina od zemiak. Joe Zemiačko. Chápeš, ale neznamená to malý zemiak. Veď to by bolo smiešne. Ha-ha!"

Aj Laura sa pokúsila smiať, ale dívala sa na Joea trocha zvláštnym pohľadom. *Och nie,* uvažoval Joe, *túto dievčinu som stretol len pred minútou a už si myslí, že som idiot.* Rýchlo sa usiloval zmeniť tému. „Máme matiku s pánom Chrumom," povedal.

„Dobre."

„A potom dejepis s Kruthyasovou."

„Dejepis neznášam, je to hrozná nuda."

„Ešte väčšmi ho znenávidíš, keď spoznáš Kruthyasku. Asi je dobrá učiteľka, ale my deti ju neznášame. Voláme ju Bosorka."

„To je vtipné!" zachichotala sa Laura.

Joe podrástol hádam o pol metra.

Zjavil sa pri nich Bob. „Ehm... čau, Joe."

„Čau, Bob," odzdravil Joe. Bývalí kamoši sa nevideli celé prázdniny. Joe strávil prázdniny sám – celý čas jazdil na novej Formule 1, čo dostal od ocka. Bob strávil väčšinu prázdnin v koši na odpadky. Kamkoľvek sa pohol, Hulvathovci ho našli, chytili za členky a strčili do najbližšieho kontajnera. Koniec koncov, veď Bob sám tvrdil, že to tak chce.

Bob Joeovi chýbal, ale teraz na vyjadrovanie citov nebol vhodný čas. Práve sa zhovára s najkrajším dievčaťom v škole, možno najkrajším v celom okolí.

„Viem, že sme sa dlho nevideli, ale... vieš... rozmýšľal som, čo sme si povedali, keď sme zbierali odpadky..." koktal Bob.

„A..."

Zdalo sa, že Boba Joeov netrpezlivý tón trocha vyviedol z miery, ale pokračoval: „Mrzí ma, že sme sa pohádali, a bol by som rád, keby sme boli znovu priatelia. Môžeš si opäť sadnúť ku mne."

„Prekážalo by ti, keby sme sa o tom porozprávali neskôr, Bob?" prerušil ho Joe. „Teraz práve nemôžem."

„Ale..." Bob nechcel pochopiť a v tvári sa mu zračilo sklamanie.

Joe si ho nevšímal. „Uvidíme sa," povedal.

Bob odišiel.

„Kto to bol? Nejaký tvoj kamoš?" vyzvedala Laura.

„Nie, nie, nie je to môj kamoš," odvetil Joe. „Volá sa Bob, ale všetci si z neho uťahujú, že je tučný. Volajú ho Tučibomb."

Laura sa znova zasmiala. Joe sa cítil trochu nepríjemne, ale fakt, že rozosmial také krásne dievča, ho natoľko uspokojoval, že nepríjemný pocit úplne potlačil.

Laura sa na Joea dívala celú matiku. Tak ho to vyvádzalo z miery, že nevedel narátať ani do päť. Zízala naňho aj cez dejepis. A slečna Kruthyasová len dokola mlela o Francúzskej revolúcii. Joe si predstavoval, ako sa bozkáva s Laurou. Bola taká nádherná, že najviac na svete túžil po tom, aby ju mohol pobozkať. Ale mal len dvanásť rokov a so žiadnym dievčaťom sa ešte nebozkával. Nemal ani najmenšiu predstavu, ako na to.

„A kráľ Ľudovít, ktorý vládol vo Francúzsku v tom období, bol známy pod svojou prezývkou. Pod akou prezývkou bol známy? No, Kroomple?"

„Áno, pani učiteľka?" Joe zhrozene pozrel na slečnu Kruthyasovú. Vôbec ju nepočúval.

„Niečo som sa ťa pýtala, Kroomple. Nedával si pozor, čo? Chceš prepadnúť?"

„Nie, pani učiteľka. Počúval som vás," habkal Joe.

„Tak aká bude odpoveď?" dožadovala sa Kruthyaska. „Ako prezývali francúzskeho kráľa Ľudovíta Šestnásteho?"

Joe nemal ani poňatia. Určite vedel, že ho ne-
volali Kevin II., ani Ken, dokonca ani Trevor
Veľký, králi predsa nemávajú takéto prezývky.

„Čakám," povedala slečna Kruthyasová.
Zazvonilo. *Som zachránený!* pomyslel si Joe.

„Zvoní pre mňa, nie pre vás!" upozornila
slečna Kruthyasová. Samozrejme, že to pove-
dala. Za tieto frázy by položila aj život. Túto
vetu bude mať zrejme aj na náhrobnom ka-
meni. Laura sedela slečne Kruthyasovej za
chrbtom a mávala na Joea, aby si ju všimol.
Chvíľu nechápal, ale potom mu došlo, že sa
mu mimikou a gestami snaží našepkať. Naj-
skôr mu ukazovala svoju hnedú ruku.

„Kráľ Ruka?" pokúsil sa o odpoveď Joe.

Všetci sa rozosmiali. Laura pokrútila hla-
vou. Prstom druhej ruky ukázala na svoju
hnedú pokožku.

Druhý pokus. „Kráľ Opálený?"

Deti sa znova zasmiali. Laura naznačila rukami guľu.

„Kráľ Lopta? Opálený... Plážová lopta?"

Trieda sa smiala ešte hlasnejšie.

Laura znova naznačila guľu a zdvihla ruky dohora smerom k oknu.

„Kráľ? Aha! Kráľ Slnko!"

Laura potichu zatlieskala.

„Presne tak, Kroomple, Kráľ Ľudovít Šestnásty, ktorý vládol vo Francúzsku v období Veľkej francúzskej revolúcie, bol známy aj ako Kráľ Slnko. Potom sa otočila k tabuli a napísala Kráľ Ľudovít XVI. – Kráľ Slnko."

Keď vyšli na školský dvor, Joe sa otočil k Laure. „Zachránila si mi krk."

„To je úplne v pohode. Páčiš sa mi." Usmiala sa.

„Naozaj?" opýtal sa Joe.

„Áno!"

„Tak potom by si..." Joe sa zasekol. „Či by si..."

„No? Či by som?"

„No či by si, teda asi skôr nie, vlastne určite nie, veď prečo by aj áno. Si taká pekná a ja som len obyčajný tučniak, ale..." Slová len tak sypal, lietali všetkými smermi, Joe sa začal červenať, bolo mu hrozne trápne.

„No, či by si nechcela..."

Laura na chvíľu hovorila za neho. „Či by som po škole nechcela ísť na prechádzku do parku a nedala si napríklad nanuk? Hej, veľmi by som chcela."

„*Naozaj?*" Joe nechcel veriť vlastným ušiam.

„Naozaj, fakt."

„So mnou?"

„Áno, s tebou, Joe Zemiačko."

Joe bol asi stokrát šťastnejší, ako si kedy vôbec pamätal. Neprekážalo mu ani to, že si Laura myslí, že sa volá Zemiačko.

14

Zošpúlené pery

„Hej!"

Všetko išlo ako po masle. Joe s Laurou sedeli v parku na lavičke a lízali nanuky od Raja. Raj videl, že Joe chce na dievča urobiť dojem, a tak sa mu v obchode mimoriadne venoval, dal mu zľavu jednu pencu na každý nanuk a Laure dovolil zadarmo si prelistovať módny časopis.

Nakoniec sa im podarilo vymotať z trafiky a nájsť si v parku tichý kútik. Rozprávali sa a červená poleva z nanukov sa topila a tiekla im po prstoch. Hovorili o všeličom možnom okrem Joeovej rodiny. Joe nechcel Laure klamať. Už si ju priveľmi obľúbil. Keď sa ho opýtala, čo robia jeho rodičia, povedal jej, že ocko sa zaoberá „manažmentom odpadových hmôt". Pochopiteľne, ďalej sa nepýtala. Joe priam túžil, aby sa Laura nedozvedela, ako veľmi je bohatý. Bol svedkom toho, ako nehanebne Zafíria využíva jeho ocka, a veľmi dobre vedel, ako rýchlo peniaze dokážu všetko pokaziť.

Všetko išlo ako po masle, kým to nepokazil ten výkrik: „Hej!"

Hulvathovci sa poflakovali okolo hojdačiek a zjavne si koledovali, aby ich niekto vyhrešil. Bohužiaľ, polícia, správca parku a miestny farár mali všetci v tej chvíli inú prácu. Keď jeden z nich zbadal Joea, uškrnuli sa a vyskočili – nepochybne dúfali, že niekomu znepríjemnia život a zaženú tak nudu.

„Hej! Daj nám nejaké prachy, lebo ťa strčíme do koša!"

„Komu to hovoria?" šepla Laura.

„Mne," neochotne priznal Joe.

„Prachy!" nahlas skríklo jedno dvojča. „A hneď teraz!"

Joe siahol do vrecka. Možno keby im dal po dvacke, nechali by ho na pokoji, aspoň dnes.

„Čo to robíš, Joe?" opýtala sa Laura.

„Len mi napadlo..." habkal.

„Tak čo, posero?" povedalo prvé dvojča.

Joe sa díval do zeme, Laura mu podala zvyšok svojho nanuka a postavila sa. Hulvathovci nepokojne prešľapovali pred nimi. Nečakali, že sa proti nim postaví trinásťročné dievča.

„Sadni si!" prikázalo jej druhé dvojča a položilo jej ruku na plece – chcelo ju vtlačiť na lavičku. Laura schmatla ruku, skrútila mu/jej ju za chrbát a hodila ho/ju o zem.

Druhé dvojča ju chcelo udrieť, ale Laura vyskočila a skopla ho/ju na zem ako bojovníčka kung-fu.

Potom sa znova postavilo prvé z dvojčiat a usilovalo sa ju schmatnúť, ale tá ho/ju karate ťahom tresla po pleci a dvojča s plačom upaľovalo.

Ozaj sa o tom nepíše jednoducho, keď človek musí stále uvažovať v oboch rodoch.

Joe mal pocit, že by mal nejako zakročiť. Postavil sa, nohy sa mu triasli od strachu a pristúpil k jednému z dvojčiat. Až vtedy si uvedomil, že drží v rukách dva roztápajúce sa nanuky. Druhé dvojča chvíľu len stálo, a keď sa Laura presunula za Joea, ihneď upaľovalo preč a zavýjalo ako psík.

„Kde si sa naučila tak biť?" čudoval sa Joe.

„Chodila som na bojové umenia, najprv na jedno, potom chvíľu na iné," odvetila Laura trocha neisto.

Joe mal pocit, že našiel dievča svojich snov.

Bude to nielen jeho priateľka, ale aj jeho osobná strážkyňa.

Prechádzali sa po parku. Joe tadiaľ kráčal už mnohokrát, ale také krásne ako dnes to ešte nikdy nebolo. Bolo nádherné odpoludnie, slnečné lúče tancovali pomedzi lístie na stromoch a Joeovi sa v tú chvíľu zdalo, že život je krásny.

„Už by som mala ísť domov," povedala Laura, keď došli k bráne.

Joe sa pokúšal skryť sklamanie. Prechádzal by sa s Laurou v parku aj celý život.

„Môžem ťa zajtra pozvať na obed?" opýtal sa.

Laura sa usmiala. „Nemusíš mi nič kupovať. Rada s tebou pôjdem na obed, ale platím si ho sama, dohodnuté?"

„Ak tak veľmi chceš," povedal Joe. To sú

veci. To dievča bolo také dokonalé, až sa mu zdalo, že sa mu sníva.

„Ako varia v školskej jedálni?" opýtala sa Laura.

Ako má Joe odpovedať? „Nuž, hmm, no... vynikajúco, ak človek drží veľmi prísnu diétu."

„Zdravú stravu mám veľmi rada!" potešila sa Laura. Joe nemal na myslí práve zdravú stravu, ale jedáleň bola v škole najlepším miestom na rande. Bolo tam zaručene vždy ticho.

„Tak ahoj zajtra," lúčil sa Joe. Zatvoril oči a zošpúlil ústa – pripravil sa na bozk – a čakal.

„Tak čau zajtra, Joe," rozlúčila sa aj Laura a odskackala po chodníčku domov. Joe otvoril oči a usmial sa. Nemohol tomu uveriť. Takmer pobozkal dievča!

15

Plastika

Pani Neyedlochová dnes vyzerala nejako nezvyčajne. Do istej miery rovnako ako predtým, ale zároveň úplne inak. Keď Joe s Laurou pristúpili bližšie k okienku, Joe si uvedomil, čo všetko sa na nej zmenilo.

Ovisnutá koža na tvári bola napnutá.

Mala menší nos.

Na zuboch korunky.

Vyhladené vrásky na čele.

Zmizli jej váčky pod očami.

Aj všetky ostatné vrásky.

Vyhladené
vrásky na čele

Zmizli váčky
pod očami

Menší nos

Korunky
na zuboch

Väčšie
prsia

Stále
kríva

Mala oveľa väčšie prsia.

Ale stále krívala.

„Pani Neyedlochová, vyzeráte... úplne inak," zízal na ňu Joe.

„Naozaj?" s predstieranou nevinnosťou sa

opýtala stará kuchárka. „Tak čo si dáte dnes?

Pečeného plneného netopiera? Mydlové suflé?

Alebo polystyrénovo-syrovú pizzu?"

„Neviem si vybrať," váhala Laura.

„Ty si tu nová, čo?" vyzvedala pani Neyed-

lochová.

„Áno, prišla som včera," vysvetlila Laura.

Pozerala si jedlá a usilovala sa zistiť, ktoré je

najneškodnejšie.

„Včera? To je zvláštne. Som si istá, že som

ťa už niekde videla," poznamenala kuchárka

a dôkladne si obzerala Laurinu dokonalú tvár.

„Si mi veľmi povedomá."

Joe jej skočil do reči. „Dali ste si operovať

ten bok, pani Neyedlochová?" Podozrieval ju

čím ďalej tým viac. „Myslím tú operáciu, na

ktorú som vám dal pre niekoľkými týždňa-

mi," šepkal, aby ho Laura nepočula.

Pani Neyedlochová začala nervózne bľabotať: „Nóóó, nuuž, nie, ešte nie, môj zlatý, a nedáš si kúsok z mojej tortičky zo špinavých ponožiek?"

„Vy ste minuli peniaze, čo som vám dal, na plastiky, však?" zasyčal na ňu Joe.

Po tvári sa jej skotúľala kvapka potu a spadla do polievky z jazvečích sopľov.

„Prepáč, Joe, ja len... vždy som chcela na seba zmeniť pár vecí," priznala sa kuchárka.

Joea to veľmi nahnevalo. Vedel, že musí okamžite odísť z jedálne. „Ideme, Laura," oznámil jej. Nasrdene vykročil z jedálne a Laura ho nasledovala. Za nimi krívala pani Neyedlochová.

„Keby si mi požičal ďalších päťtisíc, Joe, sľubujem, že tentoraz na operáciu pôjdem," kričala za ním.

Keď Laura konečne dohonila Joea, našla ho sedieť v najvzdialenejšom kúte školského dvora. Nežne mu položila ruku na hlavu, aby ho upokojila.

„Čo to bolo s požičiavaním tých päťtisíc libier?" vyzvedala.

Joe pozrel na Lauru. Teraz jej už musí povedať celú pravdu. „Môj ocko sa volá Len Kroomple," smutne jej oznámil. „Ten, čo zbohatol na Zadkočiste. Ja sa nevolám Zemiačko. Povedal som ti to len preto, aby si nezistila, kto som. Pravda je taká, že sme nesmierne bohatí. A vždy keď to niekto zistí, všetko sa pokazí."

„Mne to už decká ráno vykecali," priznala Laura.

Joe sa na chvíľu rozveselil. Spomenul si, že Laura s ním včera išla na nanuk, aj keď si ešte myslela, že je len obyčajný Joe. Možno to tentoraz vyjde. „A prečo si mi nič nepovedala?" zaujímalo ho.

„Pretože na tom nezáleží. Nezaujíma ma to. Zaujímaš ma len ty," odpovedala.

Joe bol taký šťastný, až mu z toho bolo do plaču. Je to zvláštne. Niekedy človek pociťuje také šťastie, až sa zmení na smútok. „Aj mne sa páčiš len ty."

Joe podišiel k Laure. Toto je tá správna chvíľa na bozk! Zatvoril oči a zošpúlil pery.

„Nie tu na ihrisku, Joe!" odstrčila ho so smiechom Laura

Joe sa zahanbil, že sa o bozk vôbec pokúsil. „Prepáč." Rýchlo zmenil tému rozhovoru. „Chcel som pre tú starú potvoru urobiť niečo dobré – a ona si dá urobiť silikóny!"

„Chápem, ťažko tomu uveriť."

„Nejde mi o peniaze, na tých mi nezáleží."

„Nie, ide o to, že tvoju štedrosť považuje za samozrejmosť," doplnila ho Laura.

Stretli sa im pohľady. „Presne tak!"

„Poď," navrhla mu, „myslím, že si musíš dať hranolčeky. Pozývam."

Obchodík bol plný detí zo školy. Školský poriadok zakazoval v čase obeda opúšťať areál školy, ale jedlo v školskej jedálni bolo také odporné, že deti nemali na výber. Na začiatku radu stáli Hulvathovci, no keď zbadali

Lauru, okamžite zdúchli a na pulte nechali syčať opečené párky.

Joe s Laurou postávali vonku na chodníku a jedli hranolčeky. Joe sa ani nepamätal, kedy naposledy si vychutnával také obyčajné jedlo. Asi keď bol ešte celkom maličký. Keď ešte neboli vďaka Zadkočistu milionármi a keď bolo ešte všetko po starom. Joe do seba pchal hranolčeky a všimol si, že Laura sa svojich ledva dotkla. Bol ešte hladný, len si nebol istý, či ich vzťah už dospel do štádia, keď si môže brať z jej mištičky. Po niekoľkých rokoch manželstva je to bežné, ale oni neboli ešte ani len zasnúbení.

„Už si nedáš?" vyzvedal.

„Nie," odpovedala mu, „nechcem veľa jesť. Budúci týždeň pracujem."

„Pracuješ? Ako?" nechápal Joe.

Laura zrazu vyzerala dosť zmätene. „Čo som to povedala?"

„Podľa mňa si povedala, že pracuješ."

„Hej, hej, pracujem." Stíchla a nadýchla sa. „V obchode..."

Joea to nepresvedčilo. „A prečo musíš byť v obchode štíhla?"

Laure to nebolo príjemné. „Je to uzučký obchodík," odvetila. Pozrela na hodinky. „O chvíľu máme dvojhodinovku z matiky. Mali by sme ísť."

Joe sa zamračil. Tu sa deje niečo fakt čudné.

16

Otto Nejde

„Bosorka je mŕtva!" pospevoval si malý podobaný chalan. „Tra-la-la, hnusná Bosorka je mŕtva!" Ešte sa ani nezačalo vyučovanie, ale novina sa už šírila po škole ako chrípka.

„Ako to myslíš?" opýtal sa Joe a sadol si na svoje miesto. Na opačnom konci triedy videl Boba, ktorý naňho smutne pozeral.

Asi žiarli na Lauru, pomyslel si Joe.

„Už ste to počuli?" ozval sa za ním ďalší malý chalan, ešte podobanejší ako prvý. „Kruthyasovú vyhodili!"

„Prečo?" opýtal sa Joe.

„Koho to zaujíma?" povedal menej poďobaný chalan. „Už nebudeme mať nudný dejepis!"

Joe sa najskôr usmial, potom zamračil. Slečnu Kruthyasovú a jej únavné hodiny neznášal rovnako ako ostatní, ale nezdalo sa mu, že by urobila niečo, prečo by mala prísť o prácu. Aj keď bola odporná, naozaj to bola dobrá učiteľka.

„Vyhodili Kruthyasovú," vyhŕkol na Lauru, keď vošla do triedy.

„Hej, počula som," odvetila. „Skvelá správa, však?"

„Uhm, no, myslím, že hej," povedal Joe.

„Veď podľa mňa si presne to chcel. Nemohol si ju ani vystáť."

„Nie, ale..." Joe na chvíľu zaváhal. „Je mi jej len...vieš, je mi jej trochu ľúto."

Laura sa zatvárila pohŕdavo.

Na laviciach v zadnej časti triedy sedela skupinka dievčat, vyzerali dosť nepriateľsky. Najmenšiu postrčili k Laure, ostatné sa zatiaľ len uškŕňali.

„Nespravíš nám polievku z vrecúška?" opýtala sa a ostatné dievčatá sa dobre zabávali.

Laura pozrela na Joea. „Neviem, o čom hovoríte," bránila sa.

„Neklam," povedalo dievča. „Vyzeráš tam inak, ale si to ty."

„Nemám ani poňatia, o čo ti ide," Lauru to očividne vykoľajilo.

Kým Joe stihol zareagovať, do triedy vstúpil mladý muž v obstarožnom obleku a neisto sa postavil pred tabuľu. „Upokojte sa, prosím," upozornil ich potichu. Nikoho okrem Joea ani nehlo.

„Povedal som, upokojte sa, prosím.“

Nový učiteľ to druhýkrát nepovedal oveľa hlasnejšie. Znova nikto nič. Deti dokonca začali hučať ešte viac ako predtým.

„Tak, už je to lepšie,“ povedal nízky mladík, snažil sa zo situácie vyťažiť, čo sa dalo. „Takže, ako už asi viete, pani učiteľka Kruthyasová tu dnes nie je...“

„Nie je, už sa za ňou zaprášilo!“ vykríklo nahlas jedno nie veľmi štíhle, no veľmi hlučné dievča.

„Nuž, nie je to... teda je to tak...“ pokračoval učiteľ tichým monotónnym hlasom. „Budem namiesto pani učiteľky Kruthyasovej váš triedny učiteľ a budem vás učiť aj dejepis a angličtinu. Som Otto Nejde.“

Začal úhľadne písať na tabuľu svoje meno. „Ale môžete ma volať Otto.“

Trieda zrazu stíchla a tridsať malých mozgov pracovalo na plné obrátky.

„Hehe, že o to nejde! A o čo teda ide?" zvolal drobný ryšavý chalan zo zadnej lavice. V triede zaznel hurónsky smiech. Joe by tomu chudákovi mladíkovi veľmi rád dal šancu, ale musel sa začať smiať.

„Prosím vás, mohli by ste byť chvíľu ticho?" požiadal ich nešťastník s nepodareným menom. Ale zbytočne. V triede bol hurhaj. Nový triedny urobil najväčšiu chybu, akú učiteľ môže urobiť. Má smiešne meno a vybral si práve toto povolanie. A to je problém. Ak má človek meno, ako je napríklad jedno z nižšie uvedených, je veľmi, naozaj veľmi dôležité, aby sa nedal na učiteľskú dráhu.

Robert Klapaloto

Malý milionár

Karol Nebehaj

Miloš Paprčiak

Igor Strašifták

Zlatko Pocem

Tichomír Predajňa

Bystrík Ondice

Dušan Skovajsa

Dano Drevo

Gejza Vražda

Tamara Trapasníková

Pál Klát

Veve Rička

Teodor Teľa

Adam Tipetku

Emil Nemýľ

Urban Turban

Karol Rolka

Tomáš Jedno

Jerguš Serepecki

Zlatka Stratená

Kata Strofická

Dana Planá

Peter Žiak

Sláva Márna

Holub Niko

Serena Cestu

Miky Rurka

Vanda Lovská

Tomáš Málo

Rado Dajný

Ivo Skočpop

Ria Malá

Veronika Tupá

Tomáš Zato

Juraj Vyvadil

Maťko Puff

Malý milionár

Anna Nečesaná

Miloš Leňoch

Svetlana Tmavá

Ema Nemá

Perla Stratená

Liana Dlhá

Zita Sýta

Lesana Lúčna

Margaréta Zvädnutá

Ružena Pichľavá

Gašpar Gašpar

Víťazoslav Prehra

Silvester Smutný

Naozaj. V takomto prípade nech o tom ani neuvažuje. Inak mu deti urobia zo života hotové peklo.

A teraz späť k nášmu príbehu.

„Tak, stačilo," povedal učiteľ s nešťastným menom. „Teraz si skontrolujeme dochádzku. Adams?"

„O čo tu ide?" zakričal vychudnutý blondiak. Znova salva smiechu.

„Povedal som – ticho!" okázalo ho upozornil pán Nejde, ale zbytočne.

„Ak nejde o život, ide o..." vykríkol ďalší žiak. Ohlušujúci smiech.

Otto Nejde sa chytil za hlavu. Joeovi ho bolo fakt ľúto.

Od tohto dňa bude mať nevýrazný mladík zo života hotové peklo.

Och, rozmýšľal Joe, *teraz všetci prepadneme.*

17

Záchod, otvor sa

Keď človek sedí na záchode, nepoteší sa niektorým veciam.

Požiarnemu alarmu: Horí.

Zemetraseniu.

Revu hladného leva vo vedľajšej kabínke.

Veľkej skupine ľudí, ktorí kričia: „Prekvapenie!"

Hučaniu obrovskej búracej gule, ktorá mieri na záchody.

Cvaknutiu fotoaparátu.

Elektrickému úhorovi v záchodovej mise.

Vŕtaniu do steny záchoda.

Hudbe Justina Biebera (Povedzme si na rovinu, to by nepotešilo ani na iných miestach.)

Zaklopaniu na dvere.

Keď Joe sedel cez prestávku na záchode, začul presne to.

KLOP-KLOP-KLOP.

Nikto neklope na vaše dvere, milí čitatelia, to je, dúfam, jasné. To klopú na dvere záchoda, kde práve sedí Joe.

„Kto je to?" opýtal sa podráždene Joe.

„To som ja, Bob," odpovedal... áno, správne, uhádli ste... Bob.

„Odpáľ, teraz na teba nemám čas."

„Musím s tebou hovoriť."

Joe odistil západku a otvoril dvere. „Čo chceš?" nahnevane kráčal k umývadlu. Bob ho nasledoval, v ruke vrecúško s čipsami. Prešla len hodina od obeda, ale Bob zjavne veľmi rýchlo vyhladne.

„Nemal by si jesť čipsy na záchode, Bob."

„Prečo?"

„Pretože... No preto, lebo... čipsom by sa to nepáčilo." Joe otočil kohútikom a umýval si ruky. „A čo vlastne chceš?"

Bob odložil vrecúško do vrecka nohavíc a postavil sa pred bývalého priateľa. Pozrel do Joeových očí v zrkadle. „Týka sa to Laury."

„A čo s ňou?" Joe vedel, o čo mu ide. Žiarli!

Bob chvíľu pozeral bokom, potom sa zhlboka nadýchol. „Myslím, že by si jej nemal veriť," dostal zo seba.

Joe sa otočil, od hnevu sa až triasol. „Čo si to povedal?" reval.

Zdesený Bob cúvol. „Ja... myslím si, že je..."

„ŽE JE ČO?!"

„Že je na teba nasadená."

„Nasadená?" Joe bol od zlosti až biely.

„Veľa detí si myslí, že je herečka. Vravia, že hrá v nejakej reklame alebo čo. A ja som ju videl cez víkend s iným chalanom."

„Prosím?"

„Joe, myslím, že náklonnosť k tebe iba hrá."

Joe sa priblížil tvárou k Bobovi. Protivilo sa mu byť takto nahnevaný. Desilo ho, že nad sebou stráca kontrolu. „POVEDZ TO EŠTE RAZ!"

Bob cúvol. „Pozri sa, je mi to ľúto, nechcem sa s tebou hádať. Len som ti povedal, čo som videl."

„Klameš!“

„Neklamem!“

„Len žiarliš, že Laura ma má rada a že ty si tučniak, čo nemá kamošov.“

„Nežiarlim. Robím si o teba starosti, Joe. Nechcem, aby ťa niekto zranil.“

„Fakt?“ oponoval Joe. „Keď si mi povedal, že som rozmaznaný fagan, mal si v hlase naozaj obrovskú obavu.“

„Myslím to úprimne, ja...“

„Daj mi pokoj, Bob. Už nie sme priatelia. Bolo mi ťa ľúto, preto som sa s tebou rozprával. To je všetko.“

„Čo si to povedal? Ľutovala si ma?“ Bob mal v očiach slzy.

„Nemyslel som to...“

„Prečo? Že som tučný? Že mi deti ubližujú? Že mi zomrel ocko?“ Bob teraz už kričal.

„Nie... ja len... nemyslel som..." Joe nevedel, čo tým chcel povedať. Siahol do vrecka, vytiahol zväzok päťdesiatlibroviek a podával Bobovi peniaze: „Pozri, mrzí ma to. Tu máš, kúp niečo pekné mame."

Bob vyrazil Joeovi peniaze z ruky. Bankovky sa rozleteli po mokrej dlážke. „Ako sa opovažuješ?!"

„Čo som zase urobil?" ohradil sa Joe. „Čo je s tebou, Bob? Veď sa ti len snažím pomôcť."

„Nepotrebujem tvoju pomoc. Už sa s tebou nechcem nikdy rozprávať!"

„Ako myslíš!"

„A keď treba niekoho ľutovať, tak si to ty. Si úplne mimo." Bob nahnevaný odišiel.

Joe si vzdychol, kľakol si a začal zbierať vlhké bankovky.

„To je absurdné!" smiala sa Laura. „Nie som žiadna herečka. Podľa mňa by som nedostala úlohu ani len v školskom predstavení."

Aj Joe sa usiloval smiať, ale nešlo mu to. Sedeli na lavičke na školskom dvore a trocha sa triasli od zimy. Joe nevedel, ako ďalej.

Aj sa chcel, aj nechcel dozvedieť pravdu. Zhlboka sa nadýchol. „Bob ešte spomínal, že ťa videl s nejakým chalanom. Je to pravda?"

„Čo?" zareagovala Laura.

„Cez víkend. Vravel, že si bola vonku s niekým iným." Joe sa jej pozeral priamo do očí a pokúšal sa jej niečo vyčítať z tváre. Chvíľu mal pocit, že sa ponorila do seba.

„Je to klamár," povedala po chvíli.

„Myslel som si to," uľavilo sa Joeovi.

„Hnusný tučný klamár," pokračovala. „Nemôžem uveriť, že si sa s ním priatelil."

„To len tak trochu," ošíval sa Joe. „Už s ním nič nemám."

„Neznášam ho. Hnusák jeden klamársky. Sľúb mi, že už sa s ním nebudeš zhovárať," naliehala Laura.

„No..."

„Sľúb mi to, Joe."

„Sľubujem," pritakal Joe.

Cez školský dvor sa prehnal silný závan vetra.

18

Našľapaná motorka

Laura bola toho názoru, že petícia za návrat slečny Kruthyasovej nebude mať úspech.

A mala pravdu.

Bol koniec vyučovania a Joe vyzbieral len tri podpisy. Svoj, Laurin a podpis pani Neyedlochovej. Aj to sa mu kuchárka podpísala len preto, lebo jej Joe sľúbil, že ochutná jej košíčky so škrečím trusom. Chutili ešte horšie, ako napovedal názov. Joe nemal v podstate v ruke nič viac, než takmer prázdny papier, ale aj napriek tomu si myslel, že by s ním mal ísť za riaditeľom. Slečnu Kruthyasovú nemal ani trochu rád, ale nerozumel, prečo ju vyhodili. Navzdory všetkému to bola dobrá učiteľka. Určite omnoho lepšia ako ten „Ide o všetko", alebo aké je to jeho hlúpe meno.

„Dobrý deň, deti!" pozdravila ich veselo pani tajomníčka. Slečna Korpulentná bola veľmi tučná, veselá pani, ktorá nosila okuliare s pestrými rámami. Vždy sedela v riaditeľovej kancelárii za svojím stolom. Pravdupovediac, stáť ju ešte nik nevidel. Bolo to pochopiteľné. Bola taká tučná, že vždy sedela zaborená do stoličky.

„Prišli sme za pánom riaditeľom," oznámil Joe.

„Priniesli sme vám petíciu," pomáhala mu Laura a demonštratívne držala v ruke kus papiera.

„Že petíciu. To mi je ale vtip!" na tvári pani Korpulentnej sa rozlial široký úsmev.

„Hej, za to, aby sa vrátila slečna Kruthyasová," vysvetľoval mužne Joe. Dúfal, že na Lauru zapôsobí. Chvíľu sa aj pohrával s myšlienkou, že buchne päsťou do stola, aby svojej požiadavke dodal vážnosť, ale nechcel pani Korpulentnej zničiť nejakú figúrku z jej rozsiahlej zbierky vlasatých trpaslíkov pre šťastie.

„Aha, pani učiteľka Kruthyasová. Skvelá učiteľka. Ja tomu tiež nerozumiem, ale musím vám povedať, deti, že ste pána riaditeľa práve minuli."

„To hádam nie," paprčil sa Joe.

„Áno, práve odišiel. Aha, tamto je." Tučným prstom, ktorý pripomínal klobásku s prsteňom, ukázala na parkovisko. Joe s Laurou vykukli cez okno. Riaditeľ so svojou chodúľkou slimačím tempom kráčal po parkovisku.

„Spomaľte, pán riaditeľ, ublížite si!" zakričala naňho. Potom sa obrátila na Joea a Lauru. „Nepočuje ma. Pravdupovediac, už vôbec nepočuje. Chcete mu nechať tú minipetíciu u mňa?" Sklonila hlavu a chvíľu ju študovala. „Vyzerá, akoby z nej vymazali všetky podpisy."

„Nuž, dúfali sme, že ich bude viac," sklamane poznamenal Joe.

„Keď pridáte do kroku, dobehnete ho," poradila im slečna Korpulentná.

Joe s Laurou sa na seba usmiali a pomaly sa vydali za ním. Na ich prekvapenie pán Prach nechal chodúľku na parkovisku a vytrepal sa na vyleštenú novučičkú motorku značky Harley Davidson. Bol to najdokonalejší model s prúdovým motorom. Joe ho spoznal, lebo ocko má menšiu zbierku asi 300 motoriek a synovi občas ukazoval v katalógoch nové modely, ktoré si chcel kúpiť. Táto super motorka za 250 000 libier bola najdrahšou motorkou všetkých čias. Bola širšia ako auto, vyššia ako kamión a černejšia ako čierna diera. Chrómové časti sa leskli oveľa viac ako riaditeľova chodúľka.

„Pán riaditeľ!" kričal naňho Joe, ale neskoro. Riaditeľ si už nasadil prilbu a naštartoval. Zaradil rýchlosť a motorka prefrčala okolo biednych autíčok ostatných učiteľov stokilometrovou rýchlosťou. Rútila sa takou rýchlosťou, že riaditeľ zostal visieť len na rukách, staré vetché nohy leteli vo vzduchu za telom.

„Paaaráááááááááááááááááááááááááááááááááááá áááááááda!" vyvreskoval riaditeľ a groteskný dopravný prostriedok pomaly mizol v diaľke, o pár sekúnd zostala len bodka na horizonte.

„Tu sa deje niečo veľmi zvláštne," povedal Joe Laure. „Bosorku vyhodili, riaditeľ jazdí na motorke za dvestopäťdesiat tisíc..."

„Hlupáčik Joe! To je len náhoda!" smiala sa Laura. „Platí ešte to dnešné pozvanie na večeru?" dodala, rýchlo meniac tému rozhovoru.

„Áno, áno, samozrejme," horlivo prikyvoval Joe. „Stretneme sa o hodinu pred Rajovým obchodom?"

„Super. Tak sa maj a o chvíľu sa znova uvidíme."

Joe sa usmial a pozoroval ju, ako sa vzďaľuje.

Ale zlatistý jas, ktorý v Joeovej mysli žiaril okolo Laury, sa pomaly rozplýval.

Zrazu ho premáhal pocit, že tu niečo nehrá.

19

Zadok paviána

„Možno má váš riaditeľ iba krízu stredného veku," uvažoval Raj.

Joe sa cestou zo školy zastavil v trafike a porozprával Rajovi o podivuhodných zážitkoch zo školy.

„Pán Prach má takmer sto rokov. Určite sa už ani nepamätá, kedy bol v strednom veku!" poznamenal Joe.

„Ale ja som mal na mysli," pokračoval Raj, „že sa možno snaží znova cítiť mlado, ty mudrlant."

„Má najdrahšiu motorku na svete. Stojí štvrť milióna. Veď je učiteľ, nie futbalista, ako si to môže dovoliť?!" hútal Joe.

„Neviem, nie som ani Herkules Poirot, ani komisár Rex, ani žiaden iný detektív, aby som to vedel," povedal Raj. Potom sa poobzeral po obchode a zašepkal: „Joe, musím sa ťa na niečo opýtať. Je to prísne tajné."

Aj Joe stíšil hlas: „Pýtajte sa."

„Je mi to veľmi trápne, Joe," šepkal Raj. „Ale používaš toaletný papier svojho otca?"

„Jasné, samozrejme, Raj. Veď ho používajú všetci."

„Nuž, ja som teraz používal niekoľko týždňov ten najnovší."

„Ten mentolový?" opýtal sa Joe.

Toaletný papier Joeovho ocka mal viacero variantov.

Napríklad:

ZADKOČIST TEPLÝ – pri utieraní otep-
ľuje zadok.

ZADKOČIST PRE DÁMY – mimoriad-
ne jemný pre ženské zadočky.

ZADKOČIST MENTOLOVÝ – zane-
chá na zadku svieži chladivý pocit.

„Hej, ten a...“ Raj sa zhlboka nadýchol.
„A celý zadok mi... no... sfialovel.“

„Sfialovel?“ rozosmial sa Joe prekvapene.

„To je veľmi vážna vec,“ odvrkol Raj. Zra-
zu zodvihol zrak. „Jeden Korzár a jeden tu-
recký med, to bude 85 pencí. A dajte si po-
zor, keď budete jesť ten turecký med, aby vám
nezlepilo protézu, pán Malick.“

Počkal, kým dôchodca odíde z obchodu.
CINK, zacengal zvonec nad dverami.

„Nevidel som ho. Určite striehol za regálom s chrumkami," povedal Raj, trochu vystrašený, že ich dôchodca mohol počuť.

„Vy si zo mňa strieľate, však, Raj?" s ironickým úsmevom sa opýtal Joe.

„Myslím to úplne vážne," povedal Rajov príliš seriózne.

„Ukážte," domáhal sa Joe.

„Nemôžem ti ukazovať zadok, Joe! Veď sme sa spoznali len prednedávnom!" skríkol Raj. „Ale nakreslím ti jednoduchý graf."

„Graf?" nechápal Joe.

„Len trpezlivosť, Joe."

Chlapec pozoroval, ako Raj schmatol kus papiera a farbičky a nakreslil jednoduchý graf.

„Fúha, to je ale fialová!" prezeral si Joe graf. „A bolí to?"

„Trocha svrbí."

„A boli ste s tým u doktora?" zaujímal sa Joe.

„Hej, a ten tvrdil, že uňho boli už stovky ľudí s fialovými zadkami."

„To hádam nie!" vzdychol si Joe.

„Možno mi budú musieť transplantovať zadok!"

Joe nedokázal zadržať smiech. „Transplantovať zadok?"

„Áno! A nie je to smiešne, Joe!" odvrkol Raj. V očiach sa mu zračil smútok, že si robí posmech z jeho zadku.

„Prepáčte, Raj," Joe sa ešte stále chichotal.

„Asi prestanem používať nový toaleťák od tvojho ocka a vrátim sa k tomu, čo predtým kupovala moja žena."

„Som si istý, že to nie je zo zadkočistu," protirečil mu Joe.

„A z čoho iného by to mohlo byť?"

„Viete čo, Raj, musím už ísť," nadhodil Joe, „pozval som svoju priateľku na rande."

„Aha, takže priateľka. To pekné dievča, čo tu bolo s tebou, keď ste si kupovali nanuky?" bez okolkov sa opýtal Raj.

„Hej, tá," zahanbil sa Joe. „Vlastne neviem, či je naozaj moje dievča, ale trávime spolu veľa času."

„Dobre, tak teda prajem príjemný večer."

„Ďakujem." Keď Joe došiel k dverám, otočil sa k trafikantovi. „A, mimochodom, Raj, prajem úspešnú transplantáciu zadku."

„Ďakujem, priateľko."

„Dúfam, že vám nájdu dostatočne veľký!" zasmial sa Joe.

„Von z môjho obchodu! Von! Hybaj!" kričal Raj.

Cink.

„Drzák jeden," mrmlal si s úsmevom pod nosom trafikant a upravoval sladkosti v regáli.

20

Chlpatá lopta

Zadkočistia pevnosť sa od hučania hudby otriasala v základoch. V každej miestnosti sa krútili farebné svetlá. Po dome sa hemžili stovky ľudí. Na túto hlučnú párty budú určite sťažnosti.

Až zo Švédska.

Joe nemal ani len potuchy, čo sa u nich chystá. Ráno ocko nespomínal nič, a tak Joe pozval Lauru na večeru. Bol piatok, mohli teda zostať hore dlhšie. Bude to fajn. Možno sa dnes aj pobozkajú.

„Prepáč, o tomto som nevedel," ospravedlňoval sa Joe, keď prišli ku kamennému schodisku vedúcemu do domu.

„Paráda, párty milujem!" potešila sa Laura.

Stmievalo sa a z domu vychádzali cudzí ľudia s fľašami šampanského v ruke. Joe chytil Lauru za ruku a viedol ju cez ťažké dubové dvere.

„Fíha, tak tomuto hovorím dom," prekrikovala Laura hudbu.

„Čože?" opýtal sa Joe.

„Laura priložila ústa Joeovi k uchu, aby lepšie počul. „Povedala som, že: fíha, tak tomuto hovorím dom." Joe jej však stále nerozumel. Jej teplý dych cítil blízko seba a tak ho to vzalo, že na chvíľu prestal počúvať.

„ĎAKUJEM!" zakričal aj Joe do ucha Laure. Pokožka jej voňala sladko ako med.

Joe hľadal ocka po celom dome. Nedarilo sa mu. Všetky miestnosti praskali vo švíkoch. Joe nepoznal ani jedného z tých ľudí. Kto je to? Lejú do seba miešané nápoje a napchávajú sa, akoby jedli poslednýkrát v živote. Joe nebol vysoký, takže cez nich nevidel. Ocko nebol ani v biliardovej miestnosti. Nebol ani v jedálni. Nebol v masérni. Ani v knižnici. V ďalšej jedálni tiež nič. Vo svojej spálni? Nie. Ani v teráriu.

„Skúsme sa pozrieť k bazénu!" zreval Joe Laure do ucha.

„Vy máte bazén? Skvelé!" zakričala ona jemu.

Prešli popri nejakej žene, ktorá v predklone vracala vedľa sauny a chlapík (zrejme jej priateľ) ju chlácholivo hladil po chrbte. Niektorí z hostí sa potápali v bazéne, iní doň padli a na psíčka plávali vo vode. Joe veľmi rád plával a predstava, že ani jeden z týchto ľudí nevykoná svoju malú potrebu mimo bazéna, mu nebola po chuti.

Potom zbadal ocka – mal na sebe len plavky, kučeravý afropríčesok a tancoval na úplne inú hudbu, ako hrala. Na stene za ním sa vynímala mozaika – jeho podobizeň. Ležal na nej na ležadle opretý o lakeť. Na sebe mal iba sporé plavky a vyzeral o dosť svalnatejší. Pravý pán Kroomple sa natriasal pred svojou podobizňou a vyzeral skôr ako vlasatá nafukovacia lopta.

„Čo sa tu deje, ocko?" kričal Joe, aj preto, lebo hrala hlasná hudba, aj preto, lebo ho hnevalo, že mu otec o párty nepovedal. „Kto sú všetci títo ľudia? Tvoji priatelia?"

„Nie, nie. Najal som ich. Platím im po päťstovke. Cez stránku www.partyguests.com.

„A pre koho si organizoval párty, ocko?"

„Nuž, určite sa veľmi potešíš správe, že sme sa so Zafíriou práve zasnúbili!" kričal pán Kroomple.

„Čože ste sa..." Joe nedokázal zakryť zdesenie.

„Skvelá správa, však?" vyvreskoval ocko. Hudba hučala – bum, bum, bum.

Joe tomu nemohol uveriť. Tá ženská bez mozgu bude naozaj jeho nová mama?

„Včera som ju požiadal o ruku a odmietla, ale dnes som ju požiadal ešte raz a daroval som jej prsteň s obrovským diamantom, tak súhlasila."

„Blahoželám vám, pán Kroomple," zagratulovala mu Laura.

„Aaa, ty si určite tá priateľka môjho syna zo školy, pravda?" neohrabane poznamenal pán Kroomple.

„Presne tak, pán Kroomple," povedala Laura.

„Volaj ma Len," usmial sa pán Kroomple. „Zavolám Zafíriu. ZAFÍRIA!" zreval.

Zafíria docupitala v nekonečne vysokých

krikľavožltých topánkach a ešte krikľavejších žltých minišatách.

„Ukázala by si Joeovej priateľke zásnubný prsteň, láska moja večná nádherná? Dvadsať miliónov stál len diamant."

Joe si ukradomky obzeral diamant na prste svojej budúcej mamy. Bol veľký asi ako malý domček. Ľavú ruku mala vyťahanú od toľkej váhy, mala ju spustenú nižšie ako pravú.

„Ehm... noo... je taký ťažký, že ani nedokážem zodvihnúť ruku, ale keď sa zohneš, môžeš si ho obzrieť," vysvetlila jej Zafíria. Laura podišla bližšie a prizrela sa lepšie. „Nevideli sme sa my už niekde?" opýtala sa Zafíria.

Pán Kroomple im skočil do reči. „Nie, nevideli, láska moja jediná."

„Ale videli!" protirečila Zafíria.

„Nevideli, púčik môj."

„Panebože, ja už viem, kde som ťa videla! Spomenula som si!"

„Povedal som ti, drž zobák, princeznička!" zahriakol ju pán Kroomple.

„Ty si robila tú reklamu na vifonku!" vykríkla Zafíria.

Joe sa otočil k Laure, tá pozerala do zeme.

„Je chutná, vieš, ktorá to je, Joe," pokračovala Zafíria. „Tá nová príchuť, sladkokyslá. Je to tá reklama, kde používa ťahy z karate, aby ju niekto neukradol."

„Takže naozaj si herečka?!" vyprskol Joe. Začal si tú reklamu vybavovať v mysli. Mala inú farbu vlasov a nemala na sebe žltý obtiahnutý overal, ale bola to Laura.

„Asi by som mala ísť," nadhodila.

„A klamala si mi aj v tom, že nemáš priateľa?" dožadoval sa odpovede Joe.

„Maj sa, Joe," rozlúčila sa Laura a kľučkovala popri bazéne pomedzi hostí.

„LAURA!" zakričal na ňu Joe.

„Nech si ide, synku," smutným hlasom povedal pán Kroomple.

Joe sa však za ňou rozbehol, dohonil ju na schodoch pred vchodom. Zdrapil ju za plece, no silnejšie, ako mal v úmysle. Obrátila sa k nemu a skríkla od bolesti.

„Áu!"

„Prečo si mi klamala?" dostal zo seba.

„Zabudni na to, Joe," radila mu Laura. Zrazu mal pocit, že je to úplne iný človek. Hlas mala strojenejší a výraz v tvári nepríjemnejší. Iskričky z očí zmizli. Šarm, čo z nej sršal, vyprchal. „Nechci to vedieť."

„Čo nemám chcieť vedieť?"

„Tak ak ti o to ide, tvoj otec si ma všimol

v tej reklame na polievku a zavolal môjmu agentovi. Povedal mu, že si v škole smutný, a zaplatil mi, aby som sa s tebou skamarátila. Všetko bolo fajn, kým si sa ma nepokúsil pobozkať."

Zbehla dolu schodmi a utekala po dlhej prístupovej ceste. Joe ju chvíľu pozoroval a potom pocítil v srdci takú silnú bolesť, že sa musel skloniť, aby prešla. Padol na kolená a hostia ho prekračovali. Už ani nezdvihol zrak. Bol taký smutný, až mal pocit, že už nikdy nevstane.

21

Maturita z vizážistiky

„OTEC!" vykríkol Joe. Ešte nikdy nebol taký nahnevaný a dúfal, že ani nebude. Bežal späť k bazénu, chcel, aby mu oco všetko vysvetlil.

Keď sa blížil, otec si nervózne upravoval príčesok.

Joe zastal pred ním, fučal ako lokomotíva. Bol taký nahnevaný, že nedokázal hovoriť.

„Prepáč, synak. Myslel som, že presne toto si praješ. Priateľa. Chcel som len, aby si sa v škole cítil príjemnejšie. Dal som prepustiť aj učiteľku, ktorá ti prekážala. Stálo ma to len jednu motorku pre riaditeľa."

„Takže ty si dal prepustiť staršiu paniu z práce... ty... ty si zaplatil dievčaťu, aby klamalo, že sa mu páčim."

„Myslel som, že budeš rád."

„*Čože?*"

„Počuj, kúpim ti novú priateľku," navrhol pán Kroomple.

„TY TO NAOZAJ NECHÁPEŠ?" vrešťal Joe. „Niektoré veci sa nedajú kúpiť."

„Čo napríklad?"

„Napríklad priateľstvo. Napríklad city. Alebo láska!"

„Pravdupovediac, láska sa kúpiť dá," nadhodila Zafíria.

„Nenávidím ťa, oci!" kričal Joe.

„Joe, prosím ťa," prosíkal pán Kroomple,

„upokoj sa. Čo by si tak povedal na šek na päť miliónov?"

„Áno, áno," súhlasila Zafíria.

„Už nechcem tvoje sprosté peniaze," odvrkol Joe.

„Ale, synak," habkal pán Kroomple.

„Skončiť ako ty... to je posledné, čo v živote chcem... Chlap v strednom veku zasnúbený s vygumovanou tínedžerkou!"

„No prepáč, ja mám maturitu z vizážistiky!" nahnevane sa ohradila Zafíria.

„Už vás nechcem ani vidieť! Ani jedného!" povedal Joe. Rozbehol sa, odsotil vracajúcu ženu, tá padla do bazéna. Zabuchol za sebou ťažké dvere. Časť mozaiky práve na mieste, kde mal pán Kroomple plavky, odpadla a rozbila sa na márne kúsky.

„JOE! JOE! POČKAJ!" kričal za ním pán Kroomple.

Joe sa predieral medzi kopou hostí, bežal do svojej izby. Nakoniec za sebou tresol dverami. Nemali zámku a podoprel kľučkou stoličku, aby sa nedali otvoriť. Na koberci cítil vibrácie hlučnej hudby. Schmatol tašku a začal si baliť šaty. Nevedel, kam pôjde, nebol si istý, čo bude potrebovať. Vedel len, že už nechce zostať v tomto absurdnom dome ani minútu. Schmatol niekoľko svojich obľúbených kníh (*Chalan v sukni, Pán Smraďoch* – obe boli vtipné a dojímavé).

Očami prebehol poličku s drahými hračkami a elektronikou. Pohľad mu spočinul na raketke z rolky toaletného papiera. Daroval mu ju ocko, keď ešte pracoval v továrni. Spomenul si, že to bol darček k jeho ôsmym narodeninám. Jeho rodičia vtedy ešte žili spolu a Joe mal pocit, že to bolo naposledy, keď sa cítil naozaj šťastný.

Natiahol ruku, že si ju vezme, a vtom začul búchanie na dvere.

„Synak, synček, pusti ma dnu.“

Joe bol ticho. Tomu človeku už nepovie ani jediné slovo. Jeho ocko už dávno nebol ten človek ako kedysi.

„Prosím ťa, Joe,“ prosíkal pán Kroomple.

Potom bolo chvíľu ticho.

BBBBBBUUUUCHCHCH.

Joeov otec chcel dvere otvoriť nasilu.

„Otvor tie dvere!"

BBBBBBBBBBBBBBBB-
BUUUUUUUUUUUUUU-
UUUUCHCHCHCHCH-
CHCHCHCHCHCHCH.

„Dal som ti všetko!" zaprel sa do dverí ce-
lou silou, nohy stoličky sa hrdinsky zabárali
hlbšie a hlbšie do koberca. Skúsil ešte raz.

BBBBBBBBBBBB-
BBBBBBBBBBBBB-
BBBBBBBBBUUU-
UUUUUUUUUUU-
UUUUUUUUUUU-
UUUUUUUUUUCH-

CHCHCHCHCHCHCH-CHCHCHCHCHCHCH-CHCHCHCHCHCHCH-CHCHCHCHCHCHCH-CHCHCHCHCHCHCH-CHCHCH.

O chvíľu Joe začul jemnejší buchot, otec sa vzdal a oprel sa o dvere. Potom nasledovalo zavŕzganie – opretý o dvere sa zosúval k zemi – a niekoľko vzlykov. Zrazu nevidel svetlo v škáre pod dverami. Otec sa určite zviezol na zem.

Kroomple mladší pocítil neznesiteľnú vinu. Vedel, že keby otvoril dvere, otcova bolesť by pominula. Na chvíľu položil ruku na kľučku. *Keď teraz otvorím dvere,* uvažoval, *všetko zostane po starom.*

Joe sa zhlboka nadýchol, zodvihol ruku, schmatol tašku a pustil sa k oknu. Pomaly ho otvoril, aby oco nič nezačul, a vyliezol na parapet. Ešte raz sa poobzeral po svojej izbe a potom skočil do tmy aj do novej kapitoly.

22

Nová kapitola

Joe bežal tak rýchlo, ako len vládal – čo však, úprimne povedané, nebolo bohviečo. Ale jemu sa to zdalo rýchlo. Bežal po dlhokánskej príjazdovej ceste. Vyhol sa strážnikom. Preskočil plot. Mali plot na to, aby k nim nechodili ľudia, alebo aby nechodil von on? Predtým nad tým nikdy nerozmýšľal. Teraz však nemal čas rozoberať to. Musí utekať. Nesmie zastať.

Joe nevedel, kam beží. Vedel len odkiaľ. V tom hlúpom dome s tým hlúpym ocom už nebude žiť ani minútu. Bežal po ceste. Počul len vlastný dych, dýchal čoraz rýchlejšie. V ústach cítil mdlú chuť krvi. V tej chvíli ľutoval, že sa na cezpoľnom behu v škole neusiloval viac.

Bolo neskoro, polnoc už prešla. Pouličné lampy úplne zbytočne osvetľovali prázdne mestečko. Keď Joe dobehol do centra, spomalil a napokon zastal. Na ceste stálo osamelé auto. Joe si náhle uvedomil, že je sám, a striaslo ho od strachu. Naplno si uvedomil, čo to znamená, že utiekol z domu. V sklenom výklade tmavého KFC zbadal vlastný odraz. Díval sa naňho bacuľatý dvanásťročný chalan, ktorý sa nemá kam podieť. Potichu, pomaly popri ňom prešlo policajné auto. Joe sa ukryl za veľký plastový kôš na smeti. Z pachu oleja, kečupu a horúceho kartónu sa mu dvíhal žalúdok, skoro sa zadusil. Zakryl si ústa, aby ho nebolo počuť. Nechcel, aby si ho policajti všimli.

Policajné auto zabočilo za roh a Joe vyšiel na ulicu. Držal sa pri múroch a rohoch ako škrečok, čo ušiel z klietky. Možno by mohol ísť k Bobovi. *To nie,* pomyslel si. Bol taký hotový z toho, že stretol Lauru, alebo ako sa v skutočnosti volala, že úplne sklamal svojho jediného priateľa. Pani Neyedlochová ho dokázala počúvať, ale ukázalo sa, že aj jej išlo len o jeho peniaze.

A čo Raj? *Áno,* pomyslel si Joe. Môže sa predsa nasťahovať k trafikantovi s fialovým zadkom. Mohol by sa nasťahovať za chladničku. Mal by tam bezpečný úkryt a celý deň by si mohol prezerať pánske časopisy a vychutnávať sladkosti po záručnej lehote. Očarujúcejší život si ani nemôže predstaviť.

Myseľ mu bežala na plné obrátky a čoskoro sa rozbehli aj nohy. Prebehol cez cestu, odbočil doľava. Rajov obchod je už len pár ulíc odtiaľ. Niekde nad hlavou začul v diaľke vrčanie. Silnelo. Zmenilo sa na hukot. Potom na dunenie.

Vrtuľník! Po uliciach tancovalo svetlo reflektorov. Z amplióna sa ozýval hlas pána Kroompla.

„JOE KROOMPLE, VZDAJ SA. PÁTRA PO TEBE TVOJ OTEC. OPAKUJEM, VZDAJ SA!"

Joe sa rozbehol pod vchod do obchodu s kozmetikou. Ledva sa vyhol reflektorom. Vôňa ananásového a pomarančovo-granátovojablkového sprchového gélu a pitahayového krému na chodidlá mu príjemne šteklili nozdry. Keď počul, že vrtuľník preletel ponad neho, prebehol na druhú stranu ulice, opatrne sa prešmykol popri pizzerii Pizza Hut, potom popri Pizza exprese a nakoniec našiel útočisko pri vchode do reštaurácie Domino Pizza. Keď vybiehal znova na ulicu a chcel preletieť popri reštaurácii Bella Pasta, vrtuľník sa vracal. Zrazu sa ocitol pod svetlom.

„NEHÝB SA. OPAKUJEM, ANI HNÚŤ!" hrmel hlas.

Joe sa pozrel hore, telo sa mu chvelo od nárazov vzduchu, ktorý rozvírila vrtuľa.

„Odíď!" kričal. „Opakujem, vypadni!"

„JOE, POĎ DOMOV!"

„Nie!"

„JOE, POVEDAL SOM..."

„Počul som, čo si povedal, a domov nejdem. Už nikdy!" kričal Joe. Stál tam pod jasným svetlom reflektorov a pripadal si, akoby bol na pódiu a účinkoval v mimoriadne dramatickom školskom predstavení. Amplión ešte párkrát zapraskal a stíchol.

Joe sa pred ním rozhodol uniknúť, letel uličkou poza obchodný dom, cez parkovisko a popri drogérii. Čoskoro po vrtuľníku zostal len vzdialený hukot, nebolo ho počuť o nič viac ako spev vtáčikov, čo v tú noc nemohli zaspať.

Nová kapitola

Joe dobehol k Rajovej trafike a jemne zaklopal na kovovú roletu. Nik sa neozýval, a tak Joe z celej sily zabúchal päsťami, až sa zatriasla. Zasa nič. Pozrel na hodinky. Boli dve hodiny ráno. Nečudo, že Raj nie je v obchode.

Už to vyzeralo tak, že Joe bude prvým milionárom, čo nocuje pod holým nebom. Bude z neho prvý milionársky bezdomovec.

23

Naše poľovníctvo

„Čo tu robíš?"

Joe si nebol celkom istý, či sa už zobudil, alebo sa mu len sníva, že nespí. Nemohol sa ani pohnúť. Celé telo mal stuhnuté od zimy, bolel ho každý štvorcový centimeter. Ešte nedokázal otvoriť oči, ale bol si istý, že sa nezobudil v hodvábnych obliečkach vo svojej posteli s baldachýnom.

„Pýtam sa, čo tu robíš?" ozval sa hlas znova. Joe sa zmätene zamračil. Jeho komorník predsa nemá indický prízvuk. Joeovi sa podarilo otvoriť oči ešte zlepené od spánku. Uvidel nad sebou veľkú usmievavú tvár. Rajovu.

„Čo tu robíte o takej neľudskej hodine, pán Kroomple?" milo vyzvedal trafikant.

Tma sa začala rozplývať, rozvidnievalo sa a Joe začal rozoznávať okolie. Vliezol do kontajnera pred Rajovou trafikou a zaspal tam. Namiesto vankúša mal pod hlavou zopár tehál, prikryl sa celtou a namiesto matraca použil staré zaprášené drevené dvere. Nečudo, že ho bolelo celé telo.

„Ach, dobrý deň, Raj," zahundral Joe.

„Ahoj, Joe. Otváral som obchod a začul som chrápanie. No a našiel som teba. Musím ti povedať, že ma to dosť prekvapilo."

„Ja nechrápem!" ohradil sa Joe.

„S poľutovaním ti musím oznámiť, že chrápeš. A teraz, bol by si taký láskavý, vyliezol z toho kontajnera a vošiel do obchodu? Myslím, že by sme sa mali porozprávať," vážne sa mu prihovoril Raj.

Tak toto nie, pomyslel si Joe, *dostal som sa do problémov s Rajom.*

Hoci Raj bol podľa vzrastu aj veku dospelý, nesprával sa ako rodič či učiteľ, preto nebolo jednoduché mať s ním problémy. Raz prichytil jedno dievča z Joeovej školy, ako kradne z obchodu chrumky, a zakázal jej vstup na celých päť minút.

Zaprášený milionár vyliezol zo starého kontajnera. Raj ho usadil na kopu naukladaných starých vydaní denníka *Krivda* a cez plece mu prehodil *Hospodársky týždenník*, akoby to bola veľká prikrývka nevábneho vzhľadu.

„Určite si v tej zime trčal celú noc, Joe.

Musíš si dať raňajky. Čo tak príjemnú teplú
malinovku?"

„Ďakujem, Raj, nechcem," odmietol Joe.

„Dve pomliaždené kinderká?"

Joe zavrtel hlavou.

„Musíš niečo zjesť, chlapče. Opečenú margotku?"

„Nie, vďaka."

„Plná miska výdatných cibuľových čipsov, čo ty na to? S teplým mliečkom?"

„Naozaj nie som hladný, Raj," povedal Joe.

„Žena mi nariadila prísnu diétu, a tak teraz mávam na raňajky len ovocie," oznámil mu Raj a odbaľoval si pritom čokoládu s kúskami pomarančov. „Tak, a povieš mi, prečo si spal v kontajneri?"

„Ušiel som z domu," oznámil mu Joe.

„No to som si domyslel," vybafol Raj a žul kúsky pomarančovej tyčinky.

„Uch, kôstka," vypľul si čosi do dlane. „Otázka znie: Prečo?"

Joe vyzeral zronene. Hanbil sa za seba aj

za ocka. „No, pamätáš sa na to dievča, s ktorým sme si kupovali nanuky?"

„Hej, hej, tá, čo som o nej tvrdil, že som ju už niekde videl? Včera bola v telke. V reklame na vifonku. Tak si ju nakoniec pobozkal?" vykríkol nadšene Raj.

„Nie. Len predstierala, že sa jej páčim. Môj otec jej zaplatil, aby sa so mnou priatelila."

„Chúďa," uznal Raj. Z tváre mu zmizol úsmev. „To nie je dobre. To vôbec nie je dobre."

„Neznášam ho!" zanietene vybrechol Joe.

„Tak nehovor, Joe," napomenul ho vyľakaný Raj.

„Ale je to tak," obrátil sa Joe k Rajovi a z očí mu šľahali plamene. „Nenávidím ho do špiku kostí!"

„Joe! Okamžite o ňom prestaň tak hovoriť. Je to tvoj otec."

„Neznášam ho! Už ho v živote nechcem ani vidieť."

Raj neisto natiahol ruku a položil ju Joeovi na plece. Joeov hnev sa zrazu zmenil na smútok a so sklonenou hlavou sa rozvzlykal. Návaly plaču ustupovali a znova sa vracali a Joe sa celý chvel.

„Rozumiem tvojej bolesti, Joe, naozaj," ozval sa Raj. „Pamätám sa, ako si mi hovoril, že sa ti to dievča veľmi páči, ale tvoj ocko... myslím, že ťa len chcel potešiť."

„To všetko peniaze," povedal Joe a cez slzy ho bolo ledva počuť. „Pokazili všetko, dokonca som pre ne prišiel o jediného priateľa."

„Ozaj, už dlho som ťa nevidel s Bobom. Čo sa stalo?"

„Tiež som sa správal ako idiot. Povedal som mu pár hnusných vecí."

„Preboha!"

„Pohádali sme sa, lebo som zaplatil dvoj-
čatám, aby ho nechali na pokoji. Myslel som,
že mu tým pomáham, ale on sa na to veľmi
nahneval."

Raj pomaly pritakal. „Vieš, Joe..." začal
pomaly. „Vyzerá to tak, že Bobovi si urobil
niečo podobné ako tvoj ocko tebe."

„Možno som naozaj rozmaznaný fagan,"
povedal Joe Rajovi, „ako tvrdí Bob."

„To určite nie," upokojil ho Raj. „Urobil si
hlúposť a musíš sa mu ospravedlniť. Ale ak
má Bob aspoň štipku rozumu, odpustí ti.
Vidím, že máš srdce na pravom mieste. Mys-
lel si to dobre."

„Chcel som len, aby mu prestali ubližovať!"
vysvetľoval Bob. „Myslel som si, že ak im dám
peniaze..."

„Nuž, zloduchov sa takto nezbavíš, chlap-
če.“

„Viem,“ súhlasil Joe.

„Ak im človek dá peniaze, prídu znova
a pýtajú viac.“

„Viem, viem, ale ja som sa snažil len po-
môcť.“

„Musíš si uvedomiť, že peniazmi sa všetko
vyriešiť nedá, Joe. Možno sa Bob bude nako-
niec musieť tým tyranom vzoprieť sám. Pe-
niaze mu nepomôžu. Vieš, že aj ja som bol
kedysi veľmi bohatý?“

„Naozaj?“ opýtal sa Joe tak rozpačito, že to
vyznelo, akoby ho to až príliš prekvapilo. Po-
tiahol nosom a utrel si mokrú tvár do rukáva.

„Áno,“ odvetil Raj. „Vlastnil som veľkú sieť
trafík.“

„Fúha, a koľko ich bolo, Raj?“

„Dve. Zarábal som doslova a dopísmena stovky libier týždenne. Keď som niečo chcel, jednoducho som si to kúpil. Napríklad šesť porcií nagetiek z McDonaldu? Kúpil som si deväť! Buchol som sa po vrecku a kúpil som si novučičký ojazdený Ford Fiesta. A vôbec ma netrápilo, že keď nevrátim DVD do požičovne načas, budem musieť platiť pokutu dve aj pol libry."

„Tak to teda musel byť riadne našľapaný život," usúdil Joe a nevedel, čo k tomu ešte dodať. „A čo sa stalo?"

„Dva obchody, to znamená strašne veľa práce, milý Joe. A zabúdal som, že mám tráviť čas aj s jediným človekom, ktorého som naozaj ľúbil. So svojou ženou. Kupoval som jej drahé dary. Belgické pralinky, pozlátený náhrdelník z Tesca a značkové šaty z H&M.

Myslel som si, že ju tak urobím šťastnou, ale ona v skutočnosti chcela len tráviť čas so mnou," ukončil Raj svoje rozprávanie so smutným úsmevom na perách.

„A presne to chcem aj ja!" vykríkol Joe. „Tráviť čas s ockom. Hlúpe peniaze ma vôbec nezaujímajú," vysvetľoval.

„Ale no tak, som si istý, že ocko ťa má nadovšetko rád a teraz sa o teba veľmi bojí. Poď, odveziem ťa domov," navrhol mu Raj.

Joe pozrel na Raja a pokúsil sa o letmý úsmev. „Dobre teda, ale po ceste sa zastavíme u Boba. Súrne sa s ním ešte musím porozprávať."

„Uvažuješ správne. Určite mám niekde jeho adresu, lebo jeho mama odoberá *Starý čas pre ženy*," Raj začal listovať v adresári. „Alebo to odoberá *Politiku*? Či *Naše poľovníctvo*?

Nikdy si to neviem zapamätať. Aha, tu to je. Winstonova ulica, byt číslo stodvanásť."

„To je riadne ďaleko," poznamenal Joe.

„Neboj sa, Joe. Pôjdeme Rajmobilom."

24

Rajmobil

„Toto je Rajmobil?" opýtal sa Joe.

Spolu s Rajom sa dívali na dievčenskú troj-
kolku. Bola ružovej farby, vpredu mala biely
košíček. Bola by malá aj pre šesťročné diev-
čatko.

„Áno!" hrdo odvetil Raj.

Keď Raj začal hovoriť o Rajmobile, Joeovi
sa v mysli vybavili obrazy Batmanovho Bat-
mobilu, automobilu Jamesa Bonda zvaného
Aston Martin alebo prinajmenšom dodávky
zo seriálu Scooby Doo.

„A nie je trocha malý?" opýtal sa.

„Kúpil som ho cez eBay za tri a pol libry. Na fotke vyzeral o dosť väčší. Asi pri ňom stál škriatok. Ale za tú cenu, no nekúp to!"

Joe neochotne naskočil do košíčka a Raj sa usadil na sedadle.

„Drž sa pevne, Joe! Môj Rajmobil, to je riadna šupa!" upozornil ho Raj, oprel sa do pedálov a trojkolka sa pomaly dala do pohybu. Pri každom otočení kolies škrípala.

VŔŔZG! CŔŔŔN...

Nie, to nebol váš zv... To už asi ani nie je vtipné, však?

„Dobrý deň," vo dverách bytu číslo 112 stála žena s príjemným vzhľadom, ale smutným pohľadom.

„Vy ste Bobova mama?" opýtal sa Joe.

„Áno," odpovedala žena. Obzerala si ho. „Ty si určite Joe," poznamenala nie príliš priateľským tónom. „Bob mi o tebe porozprával všetko."

„Och," vzdychol si Joe, „rád by som ho videl, ak to je možné."

„Nie som si istá, či chce vidieť aj on teba."

„Je to naozaj dôležité," prosíkal Joe. „Viem, že som sa k nemu nesprával dobre. Ale chcem to dať do poriadku. Prosím vás."

Bobova mama si vzdychla a otvorila dvere.

„Tak poď ďalej," pozvala ho.

Joe kráčal za ňou po ich malom byte. Celý by sa vmestil do jeho vstavanej kúpeľne. Byt nebol v najlepšom stave. Zo stien sa odliepali tapety, koberec bol na niektorých miestach zodratý. Bobova mama viedla Joea po chodbe do Bobovej izby a zaklopala mu na dvere.

„Čo je?" ozval sa Bob.

„Prišiel za tebou Joe," oznámila mama.

„Povedz mu, nech odpáli."

Bobova mama zmätene pozrela na Joea.

„Nebuď drzý, Bob. Otvor dvere."

„Nechcem sa s ním rozprávať."

„Asi by som mal ísť," šepol Joe a obrátil sa k vchodovým dverám.

Bobova mama potriasla hlavou. „Okamžite otvor dvere, Bob! Počuješ? Ale ihneď!"

Dvere sa pomaly otvorili. Bob mal na sebe ešte pyžamu a zízal na Joea.

„Čo chceš?" vyzvedal.

„Chcem sa s tebou rozprávať," odvetil Joe.

„Tak hovor."

„Urobím vám raňajky?" opýtala sa Bobova mama.

„Nie, on sa nezdrží dlho," odvetil Bob.

Bobova mama čosi zašomrala a zmizla v kuchyni.

„Ja som sa ti len prišiel ospravedlniť," habkal Joe.

„Na to je už trochu neskoro, nemyslíš?" opýtal sa Bob.

„Pozri, všetko, čo sa stalo, strašne, ale strašne ľutujem."

Bob cítil vzdor. „Ale bol si hrozne odporný."

„Viem, prepáč mi to. Nechápal som, prečo

si na mňa taký napaprčený. Dal som Hul-
vathovcom peniaze len preto, lebo som ti chcel
uľahčiť život."

„Áno, ale..."

„Viem, viem," náhlivo ho prerušil Joe.
„Teraz si uvedomujem, že som nekonal správ-
ne. Len ti vysvetľujem, ako som to vtedy my-
slel."

„Naozajstný priateľ by sa ma zastal. Pod-
poril by ma. A neriešil by problémy rozha-
dzovaním peňazí."

„Som hlupák, Bob. Teraz to už viem. Ob-
rovský, tučný, smradľavý hlupák."

Bob sa trocha pousmial, aj keď sa veľmi
usiloval úsmev zakryť.

„A čo sa týka Laury, samozrejme, mal si
pravdu," pokračoval Joe.

„V tom, že je nasadená?"

„Hej. Zistil som, že môj ocko jej platí, aby sa so mnou priatelila," povedal Joe.

„Tak toto som nevedel. To ti muselo veľmi ublížiť."

Joea až pichlo pri srdci, keď si spomenul, akú bolesť cítil v predošlý večer na párty. „Ublížilo, mal som ju veľmi rád."

„Až si zabudol, kto je tvoj ozajstný priateľ."

Joe sa cítil veľmi previnilo. „Viem, hrozne ma to mrzí. Mám ťa naozaj rád, Bob. Fakt. Si jediný človek zo školy, čo sa so mnou priatelí kvôli mne samému, a nie kvôli mojim peniazom."

„Tak sa nepohádajme znova. Čo, Joe?" usmial sa Bob.

Aj Joe sa usmial. „Ak som v živote po niečom túžil, tak iba po tom, aby som mal priateľa."

„Stále si môj priateľ, Joe. A vždy budeš."

„Počuj," povedal Joe. „Niečo pre teba mám. Darček na zmierenie."

„Joe!" zahriakol ho sklamaný Bob. „Ak sú to rolexky alebo guča peňazí, nechcem, je ti to jasné?"

Joe sa usmial. „Nie, je to len Twixka. Myslel som, že by sme si ju mohli dať napoly."

Vytiahol čokoládovú tyčinku a Bob sa zachichotal. Aj Joe sa zachichotal. Odbalil ju a podal polku Bobovi. Joe sa práve chystal zahryznúť karamelovo-čokoládovej lahôdky...

„Joe?" zakričala z kuchyne Bobova mama. „Poď rýchlo sem! Tvoj ocko je v telke."

25

Krach

Zlomený. Jedine toto slovo by mohlo opísať, ako vyzeral Joeov ocko. Stál v župane pred Zadkočisťou pevnosťou a s očami červenými od plaču odpovedal na kameru.

„Prišiel som o všetko," hovoril pomaly a celá tvár sa mu triasla od rozrušenia. „O všetko. Ale jediné, čo chcem späť, je môj syn. Môj zlatý chlapec."

Pána Kroompla zaliali slzy, musel sa nadýchnuť.

Joe pozrel na Boba a na jeho mamu. Stáli

v kuchyni a dívali sa na obrazovku. „Čo to znamená? Akože prišiel o všetko?"

„Práve to bolo v správach," povedala Bobova mama. „Všetci na tvojho ocka podávajú žaloby. Majú od Zadkočistu fialové zadky."

„Čože?" zvolal Joe. Otočil sa znova k televízoru.

„Ak to niekde pozeráš, synak, príď domov. Prosím ťa. Potrebujem ťa. Veľmi mi chýbaš."

Joe sa načiahol a dotkol sa obrazovky. Cítil, že sa mu v kútikoch očí zbierajú slzy. Na končekoch prstov mu zapraskala statická elektrina.

„Asi by si mal ísť za ním," poznamenal Bob.

„Hej," súhlasil Joe, ale bol v takom šoku, že sa nezmohol ani na krok.

„A ak s ockom budete potrebovať niekde

bývať, obaja ste u nás vítaní,“ ponúkla sa mu
Bobova mama.

„Jasné, samozrejme,“ pridal sa k nej Bob.

„Ďakujem veľmi pekne. Poviem mu,“ sľú-
bil Joe. „Už musím ísť.“

„Jasné,“ súhlasil Bob. Roztvoril náruč a ob-
jal Joea. Joe si ani nepamätal, kedy ho napo-

sledy niekto objal. A bolo to príjemné objímanie – bol celý mäkučký.

„Uvidíme sa neskôr," povedal Joe.

„Urobím pastiersky koláč," usmiala sa Bobova mama.

„Môj ocko ho má veľmi rád," povedal Joe.

„Ja sa na to pamätám," priznala Bobova mama, „chodila som s tvojím ockom do školy."

„Naozaj?" prekvapene sa ozval Joe.

„Hej, vtedy mal o čosi viac vlasov a o čosi menej peňazí," zavtipkovala.

Joe sa trocha usmial. „Ďakujem za všetko,"

Výťah bol pokazený, a tak Joe letel dolu schodmi, až narážal do stien. Vybehol na parkovisko, kde ho čakal Raj.

„Zadkočistia pevnosť, Raj. Hej, a šliapnite na to!"

Raj sa zaprel do pedálov, trojkolka sa rozbehla po ulici. Prešli popri konkurenčnej trafike a Joe si úchytkom všimol titulky v novinách na stojanoch pred obchodom. Ocko bol na všetkých prvých stranách.

ŠKANDÁL V ZADKOČISTE, písali v *Zvestiach*.

MILIONÁR KROOMPLE KRACHUJE, tvrdil *Telegraf*.

ZADKOČIST ŠKODÍ ZADKOM, hlásal *Expres*.

MÁTE FIALOVÝ ZADOK? pýtal sa čitateľov *Večerník*.

NOČNÁ MORA – FIALOVÉ ZADKY OD ZADKOČISTU, vykrikoval denník *Dnes*.

KRÁĽOVNÁ MÁ ZADOK AKO PAVIÁN, tvrdili *Plus dva dni*.

HOROR SO ZADKOM, vykrikovali noviny *My klameme, vy veríte*.

VICTORIA BECKHAM MENÍ ÚČES,

zvestoval *Starý čas pre ženy*.

Nie na všetkých? No dobre, tak takmer na všetkých prvých stranách.

„Mali ste pravdu, Raj,“ uznal Joe, keď trielili po hlavnej ulici.

„V čom konkrétne?“ opýtal sa trafikant a utrel si z čela pot.

„O Zadkočiste. Všetci majú fialové zadky.“

„Veď som ti to hovoril! A pozrel si si aj svoj?“

Odkedy Joe predošlý deň popoludní odišiel z Rajovho obchodu, stalo sa toho toľko, že na vlastný zadok úplne zabudol. „Nie.“

„No tak?“ súril ho trafikant. „Gate dolu!“

„Čo?“

„Povedal som, dolu gate!“

Raj odbočil trojkolkou ku krajnici. Joe zoskočil, obzrel sa ponad plece a trocha si stiahol nohavice.

„No čo?" opýtal sa Raj.

Joe si pozrel na zadok. Uvidel dve opuchnuté fialové polky. „Fialový!"

Pozrime sa na Rajov graf ešte raz. Keď doň pridáme aj Joeov zadok, bude vyzerať nejako takto:

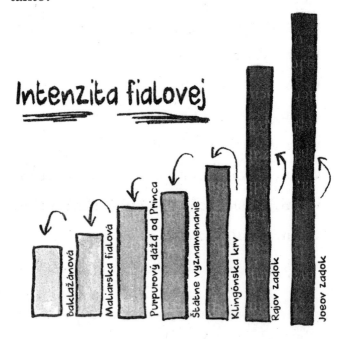

Intenzita fialovej

Baklažánová
Maliarska fialová
Purpurový dážď od Princa
Štátne vyznamenanie
Klingónska krv
Rajov zadok
Joeov zadok

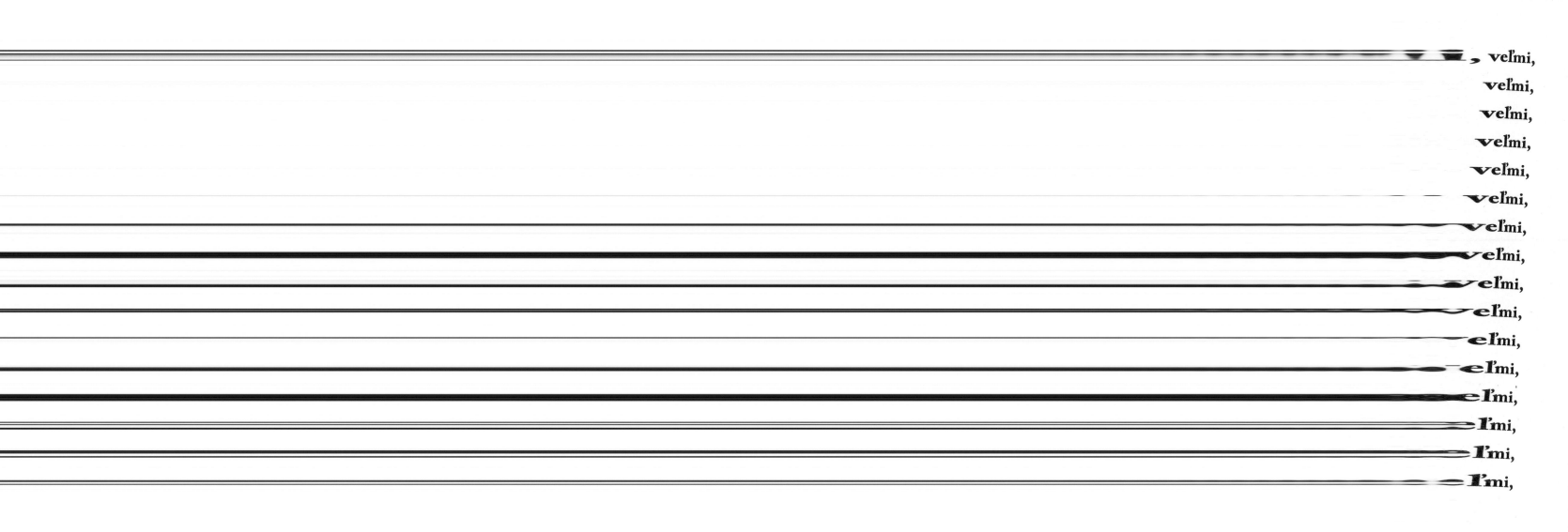

veľmi,
veľmi,
veľmi,
veľmi,
veľmi,
veľmi,
veľmi,
veľmi,
veľmi,
veľmi,
eľmi,
eľmi,
eľmi,
ľmi,
ľmi,
ľmi,
ľmi,

Raj si odkašľal. „Páni, rád by som urobil krátke vyhlásenie."

Všetky kamery sa obrátili na trafikanta a na chvíľu zavládlo úplné ticho.

„V Trafike u Raja na Bolsoverskej ulici ponúkam špeciálnu akciu na čipsy. Keď si kúpite desať balíčkov, jeden dostanete zadarmo. Ponuka je časovo obmedzená."

Všetci novinári si nahlas vzdychli a nahnevane mrmlali.

Cŕn! Cŕn!

Raj zazvonil zvončekom na trojkolke, celá horda novinárov odstúpila a vpustila ho aj s Joeom dovnútra.

„Ďakujeme krásne!" zaštebotal Raj s úsmevom. „A za polovičnú cenu ponúkam čokoládové tyčinky iba trochu po záruke. Sú len trochu zatuchnuté."

26

Bankovková fujavica

Raj šliapal do pedálov po dlhej príjazdovej ceste. Joe bol veľmi prekvapený, lebo pred hlavným vchodom už parkoval rad nákladných áut. Celá armáda svalnáčov v kožených bundách vynášala ockove obrazy, svietniky a golfové palice vykladané diamantmi. Raj zabrzdil svoju trojkolku, Joe vyskočil z košíčka a rozbehol sa po obrovských kamenných schodoch. Stretol Zafíriu – ponáhľala sa rýchlo preč z domu v topánkach na neuveriteľne vysokých podpätkoch, v ruke obrovský kufrisko, ovešaná nespočetným množstvom kabeliek.

„Uhni z cesty!" zasyčala naňho.

„Kde je ocko?" vyzvedal Joe.

„Neviem a ani ma to nezaujíma. Ten idiot prišiel o všetky peniaze!"

Keď bežala po schodoch, zlomil sa jej podpätok a zgúľala sa dolu. Kufor zletel na kamennú dlažbu, otvoril sa. Vo vzduchu začala zúriť bankovková fujavica. Zafíria kričala, plakala, maskara sa jej rozmazala po tvári. Zúfalo sa snažila pochytať bankovky. Joe ju s hnevom aj ľútosťou pozoroval.

Potom vbehol do domu. Nikde nijaký nábytok! Predieral sa cez súdnych zriadencov a rozbehol sa po obrovskom točitom schodisku. Minul dvoch svalnáčov, ktorí rozoberali jeho niekoľkokilometrovú autodráhu. Na milisekundu mu prišlo ľúto, ale bežal ďalej, až vletel do dverí ockovej spálne. Izba bola prázdna a biela, vyzerala takmer upokojujúco. Ocko sedel na posteľnom matraci, chrbtom obrátený k dverám, na sebe mal len tielko a trenírky. Tučné chlpaté ruky a nohy kontrastovali s plešivou hlavou. Prišiel ešte aj o príčesok.

„Ocko!" zvolal Joe.

„Joe!" Ocko sa otočil. Tvár mal červenú a uplakanú. „Môj chlapček! Chlapček môj! Vrátil si sa."

„Prepáč, ocko, že som ušiel."

„Veľmi ma hnevá, že som ti ublížil s Laurou. Chcel som len, aby si bol šťastný."

„Viem, viem, ocko. Odpúšťam ti," Joe si sadol vedľa ocka.

„Prišiel som o všetko, o všetko. Ešte aj Zafíria odišla."

„Nie som si celkom istý, či to bola tá pravá, ocko."

„Nie?"

„Nie," odvetil Joe a snažil sa, aby jeho nesúhlas nebol veľmi očividný.

„Nie, asi nie," uznal ocko. „Teraz nemáme ani dom, ani peniaze, ani súkromné lietadlo. Čo budeme robiť, synak?"

Joe siahol do vrecka nohavíc a vytiahol z neho šek. „Ocko?"

„Áno, chlapče?"

„Minule som sa hrabal vo vreckách a našiel som toto."

Ocko si prezrel šek. Bol to ten, čo synovi vypísal k narodeninám. Na dva milióny libier.

„Ešte som si ho nedal vyplatiť," nadšene mu vysvetľoval Joe. „Môžem ti ho vrátiť. Budeš môcť kúpiť nejaké bývanie a ešte aj tak nám zvýši fúra peňazí."

Ocko pozrel na syna. Joe nevedel posúdiť, či je šťastný, alebo smutný.

„Ďakujem ti veľmi pekne, chlapče. Si skvelý chalan. Je mi ľúto, že ti to musím povedať, ale tento šek nemá žiadnu hodnotu."

„Nemá hodnotu?" zdesene sa opýtal Joe.

„Nemá. Pretože na účte v banke nemám ani fuka," vysvetlil mu ocko. „Podali na mňa toľko žalôb, že mi banky zmrazili všetky účty. Skrachoval som. Keby si si ho dal vyplatiť vtedy, keď si ho dostal, mali by sme dva milióny."

Joe sa trocha zľakol, či neurobil niečo zlé. „Hneváš sa na mňa, ocko?"

Ocko naňho pozrel a usmial sa. „Nie. Som rád, že si si ho nedal preplatiť. Peniaze nám aj tak nikdy nepriniesli šťastie, však?"

„Nie," súhlasil Joe, „v skutočnosti nám priniesli len smútok. Aj ja sa ospravedlňujem, ocko. Priletel si za mnou do školy s úlohou a ja som na teba kričal, že ma strápňuješ. Bob mal pravdu, občas sa naozaj správa ako rozmaznaný fagan."

Ocko sa zachechtal. „Nuž, trochu áno."

Joe dozadkoskákal bližšie k ockovi. Chcel, aby ho objal.

V tej chvíli vošli do izby dvaja zavalití zriadenci. „Musíme vám zobrať matrac," oznámil jeden z nich.

Kroomplovci nekládli odpor, postavili sa a uvoľnili chlapom matrac, poslednú vec, čo v izbe zostala.

Ocko sa oprel o stenu a šepol synovi do ucha: „Ak si chceš ešte niečo uchmatnúť zo svojej izby, urob to teraz."

„Nepotrebujem nič, ocko," povedal.

„Niečo určite budeš chcieť, nejaké značkové slnečné okuliare, zlaté hodinky, iPod..."

Dívali sa, ako chlapi odnášajú matrac zo spálne pána Kroompla. Už v nej nezostalo nič.

Joe chvíľu uvažoval. „Na niečo som si predsa spomenul," zistil a vytratil sa.

Pán Kroomple podišiel k oknu. Bezmocne pozoroval, ako mu chlapi v kožených bundách odnášajú celý majetok, strieborné príbory, krištáľové vázy, starožitný nábytok, všetko... a nakladajú to do nákladiakov.

Joe bol o chvíľu späť.

„Podarilo sa ti niečo vziať?" opýtal sa nadšene ocko.

„Len jednu vec."

Joe roztvoril ruky a ukázal ockovi staručkú raketku z roliek toaletného papiera.

„Prečo toto?" opýtal sa ocko. Nemohol uveriť, že jeho syn si necháva tú starú vec, nehovoriac o tom, že to má byť jediné, čo si zachová z celého domu.

„Je to najlepšia vec, akú si mi kedy dal," povedal Joe.

Ockovi sa zaliali oči slzami. „Ale veď je to

len rolka z toaleťáku, ku ktorej je prilepená ďalšia rolka,“ zamrmlal.

„Viem,“ súhlasil Joe. „Ale urobil si mi ju s láskou. A to pre mňa znamená viac ako všetky drahé veci, čo si mi kedy kúpil.“

Ocko sa až triasol od dojatia a krátkymi

tučnými chlpatými rukami objal syna. Aj Joe objal ocka svojimi krátkymi tučnými, hoci nie až takými chlpatými rukami. Položil mu hlavu na hruď. Cítil, že je mokrá od sĺz.

„Ľúbim ťa, ocko."

„Nápodobne, synak, nápodobne... Teda, vlastne, aj ja ťa ľúbim, synak."

„Ocko?" váhavo sa opýtal Joe.

„Áno?"

„Dal by si si na olovrant pastiersky koláč?"

„Najviac na svete," usmial sa ocko.

Ocko so synom sa pevne stisli.

Nakoniec má Joe všetko na svete, čo potrebuje.

Doslov

A ako nakoniec dopadli ostané postavy z našej knihy?

Pánovi Kroomplovi tak veľmi zachutil pastiersky koláč Bobovej mamy, že si ju vzal za ženu. A teraz si ho pečú na olovrant každý deň.

Joe s Bobom zostali nielen najlepšími priateľmi, ale stali sa z nich nevlastní bratia, keďže ich rodičia sa vzali.

Zafíria sa zasnúbila s futbalovým mužstvom Premier League.

Pán Kroomple s Rajom začali spolupracovať a mali veľa nápadov,

ktoré by z nich mohli urobiť megamiliardárov. Napríklad čokoládka Kit Kat, v ktorej by bolo päť kúskov. Alebo tyčinka Mars vo veľkosti XL. Mentolky s indickým korením. V čase písania tejto knihy im ani jeden z týchto nápadov nevyniesol ani pencu.

Pokiaľ ide o Hulvathovcov, nikto nikdy nezistil, kto z nich je chalan a kto dievča. Dokonca ani ich rodičia. Poslali ich do Ameriky do nápravného tábora pre mladistvých delikventov.

Riaditeľ školy pán Prach odišiel do dôchodku, keď mal sto rokov. Teraz sa na plný úväzok venuje motocyklovému športu.

Učiteľku dejepisu slečnu Kruthyasovú prijali späť do školy a Joe musí zbierať odpadky každý deň do konca života.

Učiteľ s nešťastným menom Otto Nejde si zmenil meno. Volá sa Susan Jenkinsová. Veľmi si tým nepomohol.

Laura pokračovala vo svojej hereckej kariére. Jediným jej výrazným úspechom bola rola v seriáli Pohotovosť. Zahrala si tam mŕtvolu.

Sekretárka riaditeľa slečna Korpulentná už nikdy nevstala zo svojej stoličky.

Kráľovnej zostal fialový zadok. Ukázala ho všetkým občanom krajiny počas slávnostného novoroč-

ného príhovoru v televízii. Vyjad-
rila sa o ňom ako o „majoriťnom
probléme".

A nakoniec pani Neyedlocho-
vá. Vydala kuchársku knihu *101
receptov z netopierích vývratkov,*
ktorá sa vynikajúco predáva. Mô-
žete si ju objednať vo vydavateľstve
NEŽER.